D0589922

– 53 KG,
PLUS JAMAIS OBÈSE !

CHRIS GIRARD

– 53 KG, PLUS JAMAIS OBÈSE !

INTRODUCTION

On peut penser que la vie d'une grosse n'est pas si terrible. Il y a bien pire sur terre que d'être gros. Qu'est-ce que le surpoids et l'obésité à côté de tous les malheurs de millions de gens ?

Sûrement rien. Pour s'en rendre compte, il suffit de regarder les informations et d'essayer de relativiser.

Mais, pour moi, mon obésité, c'était ma guerre en Irak. Mon intifada. Mon tsunami.

Je m'appelle Chris, je mesure 1 m 75 pour 66 kg. Il y a maintenant près de quatre ans, je pesais près de 120 kg.

Cette obésité n'avait rien de pathologique ou de génétique. Elle était simplement due à une longue dérive alimentaire. Je mangeais, tout, tout le temps, n'importe comment. Je mangeais, c'était ma solution, mon refuge, ma récompense. Sans y penser, pour combler un stress, une émotion, je mangeais, mangeais, mangeais...

Les kilos se sont accumulés, entraînant inéluctablement des problèmes de santé. Une masse oppressante a envahi peu à peu mon corps. Lentement, j'ai vu tous mes membres se gonfler de graisse. Mon corps s'est ralenti, comme stoppé dans ses mouvements par les bourrelets.

Grosse, « la grosse », bouboule, boudin, obèse, gros cul, forte, enrobée, bien portante, enveloppée, la truie, la vache, le mammouth... et encore, j'en oublie.

Moqueries, regards soutenus, malveillances, méchancetés, c'est aussi le lot quotidien d'un obèse.

J'ai bien essayé de m'en sortir : régimes, brûle-graisse, jeûne, crèmes amincissantes, sachets... Rien que des échecs, lenteur des pertes, privations excessives, terribles désillusions et effet Yo-Yo impressionnant.

Cette situation me gâchait la vie. J'étais malheureuse et dépressive. Malgré l'affection de mes proches, je voulais en finir avec la vie et m'enterrer. Mais je n'ai jamais eu le courage de passer à l'acte. J'espérais secrètement qu'un énorme camion vienne un jour me faucher sur une route, ou qu'une grue, poussée par le vent, me tombe sur le coin de l'œil. Je ne voyais vraiment plus d'autres solutions.

Puis, un jour, j'ai eu un déclic. Ce moment a bouleversé ma vie. Cette idée insupportable m'a transcendée. Une motivation décuplée et la découverte d'un régime absolument génial m'ont permis de perdre près de 53 kg et de réussir une véritable métamorphose.

Pourquoi ai-je alors décidé aujourd'hui d'écrire ce livre, en osant aborder tous les aspects liés à l'obésité dans toute sa réalité ?

Tout d'abord pour vous livrer une partie de ma vie, sans volonté moralisatrice ou dénonciatrice. Juste vous faire partager cette expérience qui a changé ma vie et m'a redonné ma joie de vivre. Ce livre, aussi, pour mettre un point final à cette histoire, pour tourner la page, pour boucler la boucle.

Ensuite, pour faire prendre conscience, à tous les non-gros qui me liront, de ce qu'est l'obésité et ce que sont les conséquences physiques, morales, psychologiques, financières qu'elle engendre.

Je livre aussi mon témoignage en pensant aux 90 % d'obèses qui sont en situation d'échec face aux régimes, à tous ceux et toutes celles qui sont dans des phases perpétuelles d'amaigrissement, qui sont déprimés de ne pas maigrir, qui sont désespérés de voir la balance remonter, à celles et ceux qui n'en peuvent plus de leur obésité, ou de leur surpoids, qui se sentent mal dans leur peau, qui doutent, qui luttent en vain, et qui n'y croient plus.

Je veux délivrer un message d'espoir et leur dire qu'il est toujours possible de maigrir, de maintenir son poids et/ou de changer radicalement d'apparence. J'y suis arrivée, vous pouvez y arriver. J'ai trouvé la motivation et la solution pour maigrir, vous le pouvez également.

Les difficultés ne sont jamais insurmontables. Il faut casser ce cercle vicieux de la malbouffe, déjouer les pièges de notre quotidien et entrer dans cette spirale euphorisante de l'amaigrissement. Vous découvrirez alors un bien-être immense, un plaisir extrême, une joie indescriptible.

L'avis du Dr Dukan

J'ai bien apprécié le message d'espoir de Chris. Aujourd'hui, nous sommes, face au surpoids, dans une impasse. Les régimes du passé ont fait la preuve de leur inefficacité, soit initiale, certains régimes ne parvenant pas à accompagner leurs utilisateurs au poids désiré, soit secondaire, ne parvenant pas à stabiliser un poids obtenu.

Pourquoi, dans ces conditions, les personnes en surpoids tentent-elles tout de même de maigrir ? Parce que leur surpoids est une souffrance et l'enjeu est pour certains si important que le rêve et l'espoir sont difficiles à tarir.

Parmi les grands régimes du passé, il y en a un qui a une responsabilité capitale, c'est le régime des basses calories, car tout plaide en sa faveur, il est tellement logique, tellement simple que tant les patients que les spécialistes et les scientifiques s'y sont accrochés sans jamais vouloir admettre le piège de son inefficacité. Et la raison en est simple : oui, manger de tout en moindres quantités réduit le nombre de calories ingérées mais laisse le choix ouvert, ce qui revient à laisser « le loup dans la bergerie »

car chacun sait qu'une tablette de chocolat ouverte est une tablette perdue. De plus, et surtout, le régime des basses calories est lent et ne fonctionne que sur des personnes n'ayant jamais suivi de régime et pour des pertes de poids limitées. Enfin, par-dessus tout, comme tous les régimes proposés, il ne débouche pas sur une stabilisation ; il faut donc le continuer sous cette forme déjà bien ingrate pour le restant de la vie. C'est malheureusement encore, et malgré les six décennies d'échec, le régime insubmersible car soutenu par ceux qui ne connaissent que lui. La seule méthode qui a réussi à lui impulser de l'efficacité, c'est l'entreprise Weight Watchers en vertu des réunions qui furent longtemps, avant l'arrivée du coaching sur Internet, une véritable révolution dans la lutte contre le surpoids. Mais ce succès, Weight Watchers ne l'a pas acquis grâce à son régime à calories et à points mais « en dépit » de ce régime qui l'a trop souvent desservi. Les autres intervenants, les nutritionnistes qui préconisent le régime des basses calories, en font chacun une présentation à variantes à laquelle ils ajoutent leur nom et leur notoriété. Mais les jeux sont faits et ne pas admettre la preuve irrécusable de l'échec de ce régime revient à non-assistance à personne en danger.
Pour cette raison, il faut se réjouir du message d'espoir transmis par Chris car il ne faut pas désespérer celles et ceux qui ont vocation à apporter la preuve de l'efficacité d'une méthode car c'est eux et eux seuls qui ont la charge du régime.

Bien sûr, je ne suis comme personne d'autre. Chacun est unique. Je vous donnerai ma méthode et toutes les informations, trucs et astuces qui m'ont permis de maigrir. Mais il vous appartient de lire mon témoignage avec la distance qui convient et de l'apprécier, de l'adapter à votre personnalité et surtout à votre état de santé. Il ne s'agit pas de faire n'importe quoi, n'importe comment.

L'avis du Dr Dukan

J'aimerais revenir sur cette phrase de Chris : « Chacun est unique. » Il y a des constantes communes propres à l'acte de maigrir, la valeur amaigrissante intrinsèque des protéines, le besoin d'encadrement, le besoin d'activité physique, la dimension plaisir apportée par les recettes, etc. Mais il existe une singularité de chacun face au surpoids et donc face au « Maigrir ».

Ainsi, le sexe et l'âge ont une valeur discriminante puissante ; l'hérédité, tout autant si ce n'est plus ; l'historique du surpoids avec les régimes déjà suivis et en vain ; la résistance acquise aux régimes, surtout les mauvais régimes qui arment et aguerrissent le corps afin de tenir en échec les tentatives ultérieures. Et que dire de l'attirance pour le salé ou le sucré, le besoin de quantités et celui de grignoter ? Tous ces éléments composent un portrait et un profil qui est une véritable mosaïque de spécificités. Ne pas prendre en compte cette équation individuelle, c'est prendre le risque de prendre à rebrousse-poil de nombreux éléments subjectifs et s'interdire de cibler les bons messages émis sur les bons récepteurs.

C'est la raison pour laquelle j'ai construit en 2000, et lancé en 2004, *Le Livre de mon poids*. 154 questions façonnées une à une par 32 médecins pour obtenir 154 réponses permettant d'établir un diagnostic des véritables raisons du surpoids individuel, d'analyser en profondeur l'équation du surpoids et de trouver une réponse adaptée et cibléesur la personnalité pondérale de l'utilisateur. Huit à dix jours après, l'étude construite et rédigée est imprimée en un exemplaire unique, 300 à 350 pages matérialisées sous la forme d'un livre, en tous points semblable à un livre ordinaire mais écrit pour un lecteur unique sur un sujet unique, son poids et les moyens de le perdre et de ne plus le reprendre. Le tout est adressé par poste au domicile de son commanditaire.

Fort de cette expertise de la personnalisation, j'ai en 2008 créé le site de coaching sur le Net et je lui ai adjoint une innovation majeure, la communication EARQ, l'E-mail Aller-Retour Quotidien, qui permet de coacher en direct chaque jour une personne dont on connaît en profondeur la relation à l'aliment, à l'image, au poids et à la vie.
Ce coaching est le seul au monde à permettre, outre la personnalisation que nombre de personnes promettent mais que je n'ai vue nulle part, ce qui constitue le cœur palpitant du coaching, l'interaction entre celui qui donne les consignes et celui qui les suit. Là encore, nulle part au monde, y compris sur les plus grands sites du monde, les sites de coaching américains tels le South Beach ou le Ediets ou le Weight Watchers on line, cotés en bourse, vous ne trouverez ce retour du coaché pour donner au coach nutritionniste les informations sur ses résultats, ses écarts, son activité physique, sa motivation ou ses frustrations, le ou les aliments qui lui ont manqué. Et ce, non pas par curiosité mais afin de pouvoir réagir, de pouvoir compenser immédiatement un écart menaçant, lancer une contre-offensive avec des mesures de compensation, majorer pour un ou plusieurs jours l'activité physique, renforcer le soutien de motivation, convoquer l'abonné sur le chat en direct pour le remettre en selle, lui redonner de l'ardeur, de la confiance. Ou, au contraire, le féliciter si la perte de poids a été au rendez-vous et l'inciter à aller de l'avant.
Cet aller-retour de la consigne du matin et du compte rendu du soir, aucun site au monde ne le pratique. Il est facile de s'en rendre compte ; il suffit de s'inscrire à deux, un mari et sa femme, sur n'importe quel site de n'importe quel pays pour recevoir des messages et des consignes de qualité mais aveugles et à sens unique ; vous pouvez avoir eu un accès boulimique et avoir pris 2 kg ou avoir suivi à la lettre le régime, le lendemain, les nouvelles consignes continueront d'arriver sans tenir compte de ces différences extrêmes.
Je me suis permis de vous expliquer tout cela, non pas pour vous attirer sur le site que j'ai créé mais pour

dénoncer ce qui constitue la première cause de la lutte contre le surpoids : l'invasion des offres proposées par des instances n'ayant aucun rapport avec la conception médicale du corps et de la nutrition. On voit fleurir des propositions de cures amaigrissantes faites par des esthéticiennes, des coachs sportifs, des marchands de rêve, des journalistes, ce qui, en soi, ne me dérangerait pas s'ils n'occupaient l'espace de communication et n'empêchaient pas les solutions sérieuses et efficaces d'œuvrer.

Maigrir n'est pas une mince affaire, c'est difficile car la plupart de celles et de ceux qui ont grossi l'ont subi parce qu'ils avaient besoin de neutraliser un mal-être ou une insuffisance d'épanouissement passagère ou durable. La personne grosse qui veut de tout son cœur se mettre à maigrir car elle a atteint l'insupportable, cette personne en souffrance et émouvante ne doit pas être traitée en cliente ou en consommatrice à grands effets de marketing. Il faut lui apporter de l'aide, de l'efficacité, du suivi et de la prise en charge avec de l'empathie et une proximité affective. Et il faut, surtout, l'accompagner jour après jour, kilo après kilo, jusqu'au poids qui lui convient, son Juste Poids. Et là, parvenue à ce qu'elle recherchait, CONTINUER à être à ses côtés pour l'aider à atterrir, consolider ce poids et rester à ses côtés pour la stabilisation définitive. C'est cela seul que l'on peut qualifier de guérison du surpoids.
Bon, continuons avec Chris !

Pour finir, je souhaite aussi apporter ma modeste contribution à la lutte contre l'obésité, en soulignant les démarches qui ont été enclenchées par les pouvoirs publics, mais également en dénonçant le système pervers mis en place par notre société de consommation.

Il faut savoir qu'en France, nous comptons près de 5,3 millions de personnes obèses et 14,4 millions de personnes en surpoids. Ces chiffres augmentent de 5 % par an.

Cette tendance est suffisamment grave pour être devenue un enjeu de santé publique. Il y a eu une prise de conscience des pouvoirs politiques de ce phénomène et de nombreuses mesures ont déjà été mises en œuvre. Mais, à mon sens, elles restent particulièrement insuffisantes et, surtout, elles se trouvent noyées dans une société de consommation qui profite au maximum du marché engendré par le désir d'amaigrissement.

L'avis du Dr Dukan

Un petit mot au passage pour dire que ces chiffres ont encore grimpé et qu'il existe aujourd'hui 6,5 millions d'obèses en France et 15,5 millions de personnes en surpoids médical. Cela pour dire que, pour ces 22 millions de personnes grosses ou obèses, il n'existe que 260 nutritionnistes en France et que, pour y faire face, il me semble clairement que la solution internet me paraît être l'avenir de la lutte contre le surpoids.

Chapitre 1

– 53 KG, PLUS JAMAIS OBÈSE !

Je suis allongée sur notre canapé vert et blanc. Relaxe et tranquille après une journée sportive et intellectuellement fatigante. En tenue légère, je suis en train de bouquiner. La lumière est tamisée et l'appartement enfin calme en ce début de janvier 2007.

Je viens de coucher notre petit bonhomme dans son lit dans la chambre voisine et je l'entends encore gazouiller. Il prend un malin plaisir à attraper ce qui traîne sur la table à langer et à tout jeter par terre. Et hop la serviette, et vlan, sa petite voiture en plastique.

Juste à côté de moi, mon mari est accolé à son ordinateur, casque sur les oreilles, en train de jouer en réseau avec ses copains.

Mon chat, Bagheera, est allongé sur mes jambes. Il n'est pas à son aise. Il se tourne et se retourne en pétrissant mes cuisses. Il n'a plus de place pour mettre son gros derrière rayé noir et gris. Il pousse un miaulement rauque désespéré, me signifiant par là qu'il est un pauvre minou martyrisé. En s'étirant, il manque de basculer dans le vide.

Son cinéma me fait doucement rire. C'est alors qu'une drôle d'idée me traverse l'esprit. Ce n'est pas il y a un an et demi que mon matou bariolé se serait cassé la figure. Il avait toutes ses aises et aurait pu encore s'étendre de tout son long pour finir sa sieste. Mais aujourd'hui, il tombe. Est-il devenu trop gros pour rester sur mes gambettes ? Non, ce sont mes jambes qui sont devenues trop fines pour le laisser dormir tranquillement.

Le chat parti, mon regard remonte alors de mes doigts de pieds jusqu'à ma poitrine. Quel chemin parcouru ! Je ne vois plus ni bourrelets ni la masse graisseuse de mes fesses s'étendant sur le canapé. J'ai les hanches creusées et les jambes fines et bronzées. Je remarque même que mes abdominaux se dessinent très distinctement. J'ai les bras fuselés et les épaules saillantes. Je ne vois plus mes deux ballons de football de seins, mais seulement deux petites clémentines, bien arrondies. Mon alliance glisse sans problème autour de mon annulaire, alors qu'avant, elle enserrait mon doigt, tout gonflé.

« Chéri, si on t'avait dit que je perdrais autant de poids, que je réussirais aussi bien mon régime, est-ce que tu l'aurais cru ? »

Pas de réponse. J'insiste :

« Chéri, you hou, ta femme communique avec toi. »

Mon combattant d'époux enlève son casque :

« Quoi ?

— Je te demandais : si un jour quelqu'un t'avait dit que je perdrais autant de poids, est-ce que tu l'aurais cru ?

— Ben, je ne sais pas… euh écoute les autres joueurs m'attendent là. »

Et hop, il remet son casque et repart dans ses aventures en réseau avec ses copains.

Bien qu'Olivier ait toujours été un mari aimant, et un soutien sans failles, je n'ai jamais réussi à avoir de réponses franches sur ce sujet, surtout quand mon tendre époux était en pleine bagarre interactive.

Peut-être aussi parce que ce type de questions le mettait particulièrement mal à l'aise.

Cela fait plus de trois ans que je suis ce régime. Et j'ai perdu plus de 53 kg et stabilise depuis bientôt deux ans. Je suis en pleine forme, n'ai aucun problème de santé et pas de problème de peau. Je suis même devenue une sportive aguerrie. Je pratique la natation, le cardio-training, le karaté, la boxe française et, à mes heures perdues, la course à pied. Je suis complètement métamorphosée et méconnaissable. Le gros cocon a éclos et est devenu un fin papillon.

Pourtant, qui aurait pu imaginer un tel changement en me voyant ce 5 septembre 2005 ? Même pas mon mari, même pas moi !

Je suis tombée enceinte en novembre 2004. À l'époque, j'avoisinais déjà allégrement un poids à trois chiffres, résultat de nombreux régimes et de leurs effets Yo-Yo absolument dévastateurs. J'ai vécu une grossesse particulièrement tranquille, ayant terminé un contrat à durée déterminée en tant que juriste.

Cette tranquillité a été particulièrement bénéfique pour mon bébé, mais terrifiante pour mon poids. Dans les trois derniers mois de ma grossesse, j'avais la plus grande des difficultés à gravir les trois étages sans ascenseur de notre immeuble, ou à pousser mon caddie rempli de courses au supermarché. Je ressentais des douleurs terribles dans toutes les articulations de mon corps. Je me pressais comme une folle pour descendre les escaliers car, à chaque marche, c'était comme si je recevais des décharges d'électricité dans les chevilles et les mollets.

Pour m'habiller, c'était une véritable horreur, un chemin de croix. Avant ma grossesse, il fallait déjà que je sois d'excellente humeur avant de m'acheter des vêtements, mais là, enceinte, ça dépassait tout.

Les pantalons « femme enceinte », je pouvais oublier. Et pourtant, j'en ai fait des boutiques ! Rien. Pas un seul ne m'allait. Bien que plus larges au niveau du ventre, mon derrière ne rentrait jamais dedans.

Cette situation, que j'ai vécue comme un véritable traumatisme, a été remarquablement mise en scène par Michèle Bernier dans son spectacle « Le Démon de midi ». La comédienne racontait, sur un ton irrésistiblement humoristique, comment, après s'être fait larguer par son mari, elle s'était réconfortée dans la choucroute et le Nutella et comment, *a fortiori*, elle avait égrainé sa honte jusqu'au rayon « Future maman » pour trouver des vêtements à sa taille.

Comme j'ai pu rire de cette pièce de théâtre ! Comme j'ai pu pleurer de ne pas avoir trouvé de pantalon de grossesse à ma taille !

Enfin, ce n'est pas tout à fait vrai. J'ai fini par trouver deux pantalons.

Le premier était un véritable sac à patates, noir, en toile légère, taille 60. Le truc horrible, immonde, informe. Il se froissait comme un rien.

Le second, c'était un vieux jogging extensible, noir aussi. Mais, celui-là, je n'en supportais plus le tissu. À force d'être lavé, à force de frottements entre les jambes, chaque fois que je le mettais, j'avais une allergie cutanée sur tout le haut des cuisses.

Je ne ressemblais à rien. Mais je n'avais pas le choix, il n'y avait que ça. Je me sentais tellement mal dans ces guenilles que, les derniers jours de ma grossesse, j'évitai de sortir de chez moi. Je ne voulais pas que l'on me voie dans cet accoutrement. Je préférais être nue et rester dans l'appartement plutôt que sortir et m'exposer aux moqueries et aux regards soutenus.

Les derniers jours de ma grossesse ont été particulièrement pénibles. À mon terme, j'étais difforme, très proche des 130 kg. Ma taille était telle que même la sage-femme qui s'était occupée de moi en avait été surprise.

« Oh, Madame Girard, j'ai rarement vu une hauteur utérine pareille, c'est vraiment énorme, n'est-ce pas ?

— Oui, je vous confirme, chère Madame, je suis énorme.

— Ah, je n'ai pas dit ça, me lança-t-elle avec un grand sourire. »

Alexandre est né le 10 août 2005. Un moment de bonheur intense, après près de douze heures d'efforts. Mon petit bonhomme m'a souri immédiatement.

Ces minutes ont été les plus belles de toute ma vie.

Chapitre 2

L'ÉTAT DES LIEUX

C'est ce dimanche après-midi que je suis passée devant le grand miroir du salon. Mon reflet m'a stoppée net. J'étais impressionnante, imposante. C'est à ce moment précis, horrifiée par l'image que me renvoyait le beau miroir, que j'ai fait cet état des lieux.

Première étape de mon état des lieux : mon surpoids, que dis-je, mon obésité.

On ne pense jamais que l'on peut être obèse. En tout cas, ça ne m'avait pas effleuré l'esprit. J'étais grosse, en surpoids, mais surtout pas obèse. Pour caricaturer un peu les choses, j'étais comme Obélix, dans les célèbres aventures de Goscinny et Uderzo : « Je ne suis pas grosse, mais enveloppée. »

Le terme « obésité » est terrible. C'est péjoratif. On se fait une idée de l'obèse comme quelqu'un de mou, introverti, sans personnalité, sans avenir. Il est gros, c'est parce qu'il le veut bien.

Le fait de découvrir que l'on est classé médicalement parmi les gens obèses est psychologiquement terrible. J'ai pris conscience de mon obésité, en calculant mon indice de masse corporelle sur Internet. L'**indice de masse corporelle** (**IMC**) est une méthode qui permet d'évaluer la matière grasse d'une personne, de déterminer sa corpulence.

Cet indice se calcule en fonction de la taille (en mètres) et du poids (en kilogrammes). Il n'est correctement interprétable que pour un adulte de 18 à 65 ans.

Le résultat a été pour moi sans appel : taille, 1 m 75 ; poids après grossesse, 119 kg ; sexe, féminin ; âge : 27 ans. IMC de 38,9

« Votre poids est beaucoup trop important compte tenu de votre taille. Vous souffrez d'obésité, et cela signifie que vous êtes exposé à un risque non négligeable de contracter des maladies cardiaques (infarctus), vasculaires (accident vasculaire cérébral, insuffisance veineuse) ou métaboliques (diabète). Cette obésité peut aussi être à l'origine d'essoufflement, de fatigue, de douleurs dorsales ou articulaires et difficultés psychologiques qui perturbent sérieusement vos activités quotidiennes. Heureusement, même une perte de poids modérée (5 à 10 %) peut avoir un effet positif sur votre santé et votre mental, à condition bien sûr de ne pas reprendre les kilos perdus. Dans cette optique, il serait judicieux de pratiquer tous les jours un peu plus d'activité physique et de réduire la part des graisses dans votre alimentation. En tout cas, une consultation avec votre médecin s'impose, pour qu'il fasse le bilan de votre maladie et envisage avec vous les méthodes de perte de poids, ainsi que les éventuels traitements possibles. Les associations de patients peuvent aussi vous fournir des conseils et une aide psychologique précieuse. »

Lorsque l'IMC se situe entre 20 et 25, on considère que le poids est normal. Entre 25 et 30, c'est le surpoids. Les kilos en trop commencent à devenir une menace pour la santé. Mais lorsque l'IMC dépasse 30, on parle d'obésité.

J'étais obèse. Le choc a été particulièrement violent.

Le coup de grâce m'a été porté quand j'ai découvert qu'en plus d'être obèse, je souffrais d'une obésité sévère. J'ai appris en effet, toujours en surfant sur le Net, qu'il existe trois types d'obésité :

L'obésité est dite « modérée » lorsque l'IMC se situe entre 30 et 35. Lorsque l'IMC franchit la barre des 35 mais reste sous celle des 40, on parle d'obésité sévère. Lorsque l'indice de masse corporelle dépasse 40, il s'agit d'une obésité morbide. Certains spécialistes distinguent même un stade supérieur, l'obésité massive, avec un IMC au-delà de 50.

Une autre classification de l'obésité existe : il s'agit de l'obésité de type gynoïde et celle de type androïde. L'obésité gynoïde touche beaucoup plus les femmes et est développée surtout au niveau des cuisses, des fesses, et sur le bas du ventre. L'obésité androïde touche, quant à elle, beaucoup plus les hommes et est située principalement sur le ventre.

Si je combinais les deux définitions, j'étais donc atteinte d'une obésité gynoïde sévère !

Ces découvertes m'ont complètement sonnée et il m'a fallu plusieurs jours pour encaisser. J'avais des crises de larmes terribles, une culpabilité infernale après les repas, une déprime.

Le constat était terrible. Je ressentais pleinement cet IMC de 38,9. Voilà l'image que me reflétait le miroir :

J'avais des chevilles et des mollets énormes. Mes jambes étaient comme deux poteaux. On ne savait pas où commençait le mollet et où s'arrêtait la cheville. Mes cuisses et mes fesses étaient bourrées de cellulite. La graisse faisait faire à ma peau des minivagues. Quand j'attrapais à pleine main un de mes bourrelets, je pouvais sentir toutes ces grosses cellules de graisse sous mes doigts. La « peau d'orange » et la « culotte de cheval » étaient des expressions à m'appliquer au pied de la lettre. J'avais la taille, les hanches et le ventre lacérés par des vergetures épaisses et violettes. Une véritable horreur. J'étais « grasse comme un loukoum ». Je n'avais plus deux seins, mais deux mamelles. De ces attributs féminins naît l'expression « grosse vache » qui prend tout son sens… pour moi en tout cas !

Comment ai-je fait pour ne pas sombrer dans la dépression ce jour où j'ai fait cet état des lieux de ma personne ? Comment ai-je fait pour ne pas me tirer une balle ce dimanche après-midi où j'ai pris conscience de mon obésité ? Comment ai-je fait à ce moment-là pour sortir et me montrer dans cet état de délabrement total ?

La réponse est toute simple : l'euphorie d'être devenue maman !

Le fait de m'occuper de mon fils, d'être avec mon mari qui avait pris son congé de paternité, de voir la famille et tous les amis défiler à la maison m'a permis de ne pas me centrer sur mon physique. Le bonheur intense que je ressentais à ce moment-là a fait que je n'ai pas eu de honte à me montrer dans cet état. Ce bonheur m'a permis de prendre les choses avec une grande rationalité, de m'organiser et de préparer un plan d'attaque et de remise en forme.

Évidemment, la première étape de ce plan de remise en forme passait obligatoirement, vous l'aurez bien compris, par une perte massive de poids. Mais le traitement de mon obésité ne serait que les fondations du chantier à entreprendre.

Maigrir, c'est difficile. De plus, lorsque l'on est obèse, la peau, notamment au niveau du ventre, des hanches, des cuisses et des fesses, est distendue. Maigrir d'une manière importante provoque donc ce phénomène de peau qui pend. Il fallait que mon programme de remise en état prenne en compte cet aspect problématique de l'amincissement et que je trouve une solution qui me permette d'échapper au « tablier ».

J'ai alors décidé de consulter un chirurgien esthétique, le Dr M. En un ou plusieurs coups de bistouri, j'arriverais peut-être à résoudre mon problème de poids et, partant, à éviter ces soucis de peau qui pend. En somme, faire d'une pierre deux coups.

Quand j'ai franchi la porte de son cabinet, j'ai entendu son soupir. Dès cet instant, j'ai su qu'il serait hors de question pour lui de m'aider.

Je me souviens parfaitement des lieux. Le cabinet médical était somptueux. Au milieu de la pièce se dressait un bureau d'acajou, sur lequel se trouvait l'agenda noirci de rendez-vous du Dr M. et quelques dépliants quant aux risques des opérations chirurgicales. Le bureau se situait devant une large baie vitrée avec une vue imprenable sur les urgences de l'hôpital.

Contre le mur de droite, se trouvait une bibliothèque, où étaient scrupuleusement rangés des livres, des ouvrages médicaux. J'avais parcouru du regard les titres de ces bibles médicales : *La Chirurgie des seins, Les Opérations reconstructrices*...

Derrière moi, se dressait une grande table d'auscultation, recouverte d'un rouleau de papier blanc et, au-dessus, des cadres égyptiens renfermant des morceaux de papyrus.

« Alors, que puis-je pour vous ? me lança le médecin d'une voix rauque et sèche.

— Je voudrais savoir ce que vous pourriez faire pour mes cuisses et mes hanches. Une liposuccion ou un lifting, éventuellement. Je voudrais vraiment me débarrasser de tous ces kilos.

— Moi ? Je ne ferai rien. »

Cette réponse courte et rapide me glaça le sang.

Il reprit :

« La chirurgie esthétique n'est pas une méthode de traitement de l'obésité. Perdez d'abord 30 kg et, ensuite, on verra. »

La réponse du praticien fut si brutale que je ne parvins même pas à lui répondre.

« M'enfin, montrez moi "ça" quand même » (Vous noterez le « ça » n'est-ce pas ?)

Je m'exécute. Je me déshabille et là... Ce fut l'apothéose, le pompon.

« Oh là là, mon Dieu, ce n'est pas possible de voir ça. Ah non, vraiment, je ne peux rien pour vous. »

La consultation ne dura guère plus de dix minutes. Je ressortis du cabinet complètement abasourdie, vexée et humiliée. Je ressentais un sentiment mêlé de haine, de tristesse et d'injustice. En plus, j'étais ruinée. Une consultation de dix minutes : 40 euros.

Mais aussi goujat, infâme, cruel, atroce, horrible que ce médecin avait pu l'être, il avait raison. La chirurgie n'est utile qu'après la perte de poids, pour reconstruire le corps et la silhouette, et en aucun cas pour aider à maigrir dans des cas d'obésité importante. Et ça, je ne l'ai compris qu'après cette entrevue.

En dehors d'une chirurgie particulière comme le By Pass ou l'anneau gastrique, un chirurgien qui accepte d'opérer un obèse pour lui faire perdre du poids est soit un chirurgien poursuivi par les caméras de « Ça se discute » soit un chirurgien peu scrupuleux et désireux de gagner un maximum d'argent sur le dos de son client.

Il n'y avait donc plus d'autre choix : MAIGRIR, et utiliser toutes les méthodes à ma portée pour que ma peau supporte le choc de mon amincissement.

La deuxième étape de mon plan de remise en forme consisterait à soigner les conséquences directes de mon obésité.

Il faut savoir que l'obésité provoque également toute une série de gênes et d'inconvénients et je ne savais pas si le seul fait de maigrir suffirait à tous les éliminer de manière définitive.

Une des premières conséquences de l'obésité, ce sont les problèmes de peau. Quand on est gras et gros, la peau évacue comme elle peut les excès de graisse. J'étais sujette de manière récurrente au débarquement en force sur le front, les ailes du nez, les épaules ou encore le dos, d'une armée d'horribles points noirs et boutons blancs, et ce, malgré une hygiène absolument irréprochable.

D'ailleurs, je fais un petit aparté sur ce sujet et je clame haut et fort : ce n'est pas parce que l'on est gros que l'on est forcément sale et négligé. Les gens ont tendance à faire très vite l'amalgame.

Si on remet les mêmes fringues, ce n'est pas par manque d'hygiène, c'est parce que l'on ne trouve pas d'autres vêtements à sa taille. Moi, je lavais mon pantalon tous les soirs.

Quand j'étais obèse, je ne comptais plus le temps passé devant le miroir à vider, à nettoyer, désinfecter mon visage et mon dos, meurtris, troués, par ces amas de sébum logés dans les pores de ma peau.

C'est ça le quotidien de l'obèse !

Je ne compte plus, non plus, le nombre de produits que j'ai pu essayer pour avoir une peau bien nette. Rien n'y faisait.

On dit souvent que la peau est le reflet de l'alimentation. Pour moi, c'était le cas.

Je suis aussi atteinte d'hyperhidrose.

L'hyperhidrose, c'est le terme médical pour désigner une transpiration excessive. Lorsque la transpiration n'affecte que certaines parties du corps, on parle d'*hyperhidrose localisée*. La plupart du temps, elle affecte la paume des mains, la plante des pieds, les aisselles (dans 50 % des cas) et le visage. Lorsque la transpiration s'étend à tout le corps, on parle d'*hyperhidrose généralisée*.

L'hyperhidrose peut être causée par une affection sous-jacente métabolique, par la ménopause, l'obésité, ou par des lésions neurologiques.

Je suis atteinte d'hyperhidrose localisée au niveau des aisselles qui a été déclenchée par mon obésité et maigrir n'a pas résolu mon problème. Preuve que l'obésité est juste le facteur déclenchant de cette maladie. Ce qui m'a permis de m'en débarrasser, malheureusement pas de manière définitive, c'est un traitement adapté.

Je transpirais énormément des aisselles. Il était impossible pour moi de porter un corsage bleu ciel, sans quoi le bleu ciel se transformait rapidement en bleu cyan, voire en bleu de minuit.

Un des mots d'ordre pour acheter un petit haut, en dehors du fait qu'il fallait que je rentre dedans, était « discrétion transpiration ». Il ne fallait pas que l'on remarque que, sous ce pull, j'étais trempée.

Pour parer à cette transpiration terriblement gênante, j'avais trouvé toute une panoplie de solutions : le change dans le coffre de la voiture, les lingettes et le déodorant dans le sac à main. Les gants de toilette coincés sous les aisselles et le soutien-gorge… eh oui !

Immanquable, la petite veste noire au-dessus du chemisier lors du moindre rendez-vous professionnel.

J'ai même essayé la Rolls Royce des solutions : Le pansement d'aisselles. Ces pansements, qui font partie du matériel médical, se collent directement sous l'aisselle. Le pansement épouse parfaitement la forme du dessous de bras et passe complètement inaperçu sous les vêtements.

C'était à un point tel que je transpirais tout le temps mais surtout quand j'avais froid. Plus j'avais froid et plus je transpirais.

Comme pour les problèmes de peau grasse, les gens comprennent particulièrement mal ce souci auquel les obèses sont confrontés couramment. Pour eux, les gros transpirent parce qu'ils sont gros justement. Ils ne comprennent pas que l'obésité et l'hyperhidrose sont deux maladies différentes, dont l'une, l'hyperhidrose, peut être déclenchée par l'autre, l'obésité. Mais on peut être atteint d'hyperhidrose, sans forcément être obèse.

Malheureusement, ces subtilités échappent à certains et j'ai relevé, de nombreuses fois, des réflexions plus que blessantes :

Sur un forum de discussion par exemple, à cette question sur ce « Phorum » posé par « Ultimate » :

« Les hommes doivent-ils mettre du parfum ? »

« The Blond Phantom » répond :

« Les gros porcs qui transpirent doivent encore moins en mettre, le mélange d'odeurs est fatal. »

Dans son article de mai 2006 « Xiao Ling, une histoire de Chine », Emmanuelle Birraux écrit :

« Mais les gros, parlons-en des gros !

Les gros, gras, trop bien en chair, avec de l'embonpoint, obèses, énormes, gargantuesques. Les gros qui transpirent au moindre mouvement, ceux qui en ont oublié la forme de leurs pieds ou si même ils ont encore des pieds. Ces hommes enceints jusqu'au cou, à qui on aurait envie de proposer une césarienne pour abréger leurs souffrances… »

La troisième étape de mon plan de remise en forme consisterait en un relooking complet de ma personne. J'en avais grandement besoin. Ce changement de look devrait passer selon moi par plusieurs touches.

▸ La première touche : plus de lunettes !

En plus d'être grosse, atteinte d'hyperhidrose, d'avoir la peau grasse (eh oui, la nature ne m'a pas gâtée !), j'étais myope. Oh pas énormément, mais juste assez pour ne pas pouvoir me passer de lunettes.

J'ai bien essayé les lentilles pendant une période de deux ans, et cette solution me convenait bien. Mais du jour où je me suis retrouvée enceinte, il n'y a plus eu moyen de les supporter. J'ai dû alors me résoudre à retrouver mes bonnes vieilles lunettes. Et les lunettes, aussi légères qu'elles puissent être, entraînent une grande série d'inconvénients.

Qui n'a jamais eu les lunettes pleines de buée à l'ouverture de la Cocotte-Minute ou en rentrant bien au chaud après avoir passé un moment au froid ?

Qui n'a jamais oublié ses lunettes sur son nez et pris sa douche avec ?

Qui n'a jamais enlevé ses lunettes à la piscine ou à la gym et n'a plus rien vu de distinct pendant toute la séance sportive ?

Qui n'a jamais hurlé en sortant de chez l'opticien après avoir payé une note exorbitante pour faire adapter les verres à sa vue ?

Qui n'a jamais eu à l'idée que les lunettes étaient un handicap pour rencontrer l'âme sœur ?

Je pourrais continuer comme ça longtemps.

Il fallait donc que je fasse toutes les démarches nécessaires pour me débarrasser de cette encombrante myopie.

▶ La deuxième touche consisterait à prendre des couleurs et à faire le plein de soleil !

J'étais plus blanche qu'une morte. J'avais le teint plus blanc que de la neige passée à l'eau de Javel et je me doutais bien que le régime n'allait rien arranger. Je voulais me caraméliser, me vivifier !

▶ La troisième touche : la coupe de cheveux !

Je n'en pouvais plus de mon éternelle queue de cheval, cheveux tirés en arrière. Olivier me répétait constamment que ce look me donnait un air sévère. Mais, à l'époque, je visais le côté pratique de la coupe et pas le côté esthétique. À moi désormais une coupe féminine, *fashion* et coquine.

▶ **La quatrième touche : mes dents !**

J'avais le sourire complètement plombé. J'ai la malchance d'avoir des dents de très mauvaise qualité. Le résultat est donc qu'un grand nombre de dentistes est déjà intervenu sur mes mâchoires pour soigner mes vilaines quenottes. Du coup, toutes mes molaires et prémolaires étaient ornées de plomb. Il me fallait blanchir tout ça.

▶ **La cinquième touche consistait en un changement total vestimentaire !**

Il fallait absolument que je change de style, que je puisse profiter de la mode, des tendances et des fringues sexy. Je n'en pouvais plus des frusques informes, sombres et tristes. Je voulais mettre de la couleur et de la fantaisie dans ma vie, mais tout en gardant une certaine classe. Il aurait été déplacé d'avoir un look de *teenager* attardée ou de minette basse du string, sortant de chez Jennifer pour assurer mon travail de juriste.

En lisant ce qui précède, vous me direz sûrement que je n'avais pas besoin de maigrir comme je l'ai fait pour prendre soin de moi. Pourquoi alors ne l'ai-je pas fait plus tôt ?

Simplement parce que, quand on est gros, on n'a pas forcément envie de prendre soin de soi. C'est un cercle vicieux. On se dévalorise et, du coup, on ne fait rien pour que ça aille mieux. Plus on se sent gros, plus on se sent laid.

La sixième et dernière étape de mon plan de remise en forme consisterait à gagner cette lutte contre moi-même, contre mon corps.

J'ai souvent personnifié mon corps. C'était comme une autre partie de moi, ennemi sournois contre qui il fallait que je lutte en permanence. Il ne fallait plus jamais le laisser gagner, plus le laisser souffler une seule seconde et, à la limite même, le martyriser pour qu'il cède, pour qu'il perde en masse, en volume, en place.

Pour parvenir à le mater de la sorte, ma volonté de capitaine devait s'adjoindre trois lieutenants :

— Le suivi psychologique pour soigner ma dépendance à la nourriture,

— Le sport à outrance,

— La chirurgie esthétique.

J'engagerais les trois.

Chapitre 3

MA VIE D'AVANT

Mais, bon sang, que s'est-il passé pour que je devienne ce gros sac informe et atroce ?

Rien de spécial, un peu beaucoup de laisser-aller au départ, un passage de vie difficile, un retour à la normale particulièrement heureux et une grossesse pour couronner le tout.

Je vous le dis, vraiment rien d'extraordinaire. Je n'ai aucune pathologie. J'ai eu une enfance heureuse et sans problème de poids. Je me suis juste laissée entraîner dans le tourbillon de la bouffe.

Ce laisser-aller a commencé à l'adolescence. C'est vers 13-14 ans que j'ai commencé à avoir un appétit excessif. C'est l'époque où j'avais la fourchette particulièrement enthousiaste.

La bouffe était devenue un vrai refuge. Je me sentais rejetée par les autres : j'étais bonne élève et, pour cette raison, mise à l'écart. Même si ça ne m'a pas traumatisée, j'en ai tout de même souffert et, du coup, la nourriture est venue combler ce manque d'affection, d'amitié, ce stress.

Je me sentais bien quand j'étais allongée sur mon lit à lire une BD de Tintin avec une poignée de chips dans la main et un bout de pain, bien frais et bien blanc.

L'association du pain et de la chips croustillante salée me procurait une grande sensation de bien-être. Un vrai bonheur !

Dès que je n'avais plus cette association, en même temps que la lecture de mon héros à houppette et de son dog blanc, la sensation de bien-être s'atténuait. Il fallait donc que je fasse, au sens strict, le plein de munitions. Hop ! Je retournais dans la huche et dans l'armoire chercher du ravitaillement. Une autre poignée de chips et un autre bout de pain.

Et à aucun moment je n'avais vraiment faim. J'avais juste envie de manger pour retrouver cette sensation de sérénité intérieure.

C'est au lycée que mes habitudes alimentaires ont complètement déraillé.

Non seulement j'avais toujours cette impression d'être mise à l'écart par les autres, mais là, en plus, j'avais une plus grande liberté. Je pouvais sortir du lycée et aller, quand bon me semblait, « grailler » dans tous les fast-foods des alentours.

D'ailleurs, la première chose que j'ai faite en sortant de classe, mon premier jour du lycée, c'est d'aller me chercher un hamburger avec des frites. Après toutes ces émotions, la découverte de ma nouvelle vie, j'avais bien mérité un petit bonus. J'ai souvent assimilé la nourriture à une récompense, ce qui est une grave erreur.

C'est au lycée aussi que j'ai pu me précipiter, à chaque récréation de 10 h, sur ces grosses boîtes hermétiques réfrigérées, résistantes aux chocs, qui fleurissaient à l'époque dans tous les établissements scolaires. Quelle belle décision de supprimer les distributeurs de friandises dans les lycées ! Le législateur n'aurait-il pas pu avoir cette idée quand j'étais lycéenne, non ?

Aux intercours, je me précipitais sur ce gros bloc qui crachait, quelquefois avec un peu d'aide, cette nourriture bourrée exclusivement de sucres et de graisses. J'adorais ces barres au caramel enrobées de chocolat fin avec à l'intérieur un petit biscuit dur qui, à l'époque, coupaient la faim avec leurs deux doigts. Avec un petit café court sucré, mes papilles étaient en joie.

Je me souviens d'une réflexion que m'avait faite à cette époque une jeune femme un peu plus âgée que moi, me voyant engloutir un sandwich au salami à 10 h du mat'.

Elle s'appelait Agnès. Elle était petite, et déjà bien ronde. Avec le recul, je me dis qu'Agnès était déjà confrontée aux problèmes de poids et c'est la raison pour laquelle, me voyant me goinfrer, elle avait tenté de m'avertir.

« Tu ne devrais pas manger comme ça à cette heure-ci. Tu vas te distendre l'estomac, et après tu auras des problèmes. »

À l'époque, je lui avais répondu que j'avais faim, et « t'inquiète, je saurai m'arrêter ».

Mais sa réflexion m'avait marquée. Non pas dans le sens où « cette fille est confrontée aux problèmes de poids et elle lutte », mais, « de quoi elle se mêle, celle-là ? ».

Je m'en suis voulu énormément de ne pas l'avoir écoutée.

Bien que je faisais pas mal d'excès de calories, mon poids restait assez stable. Mes mauvaises habitudes alimentaires étaient contrebalancées tout d'abord par le fait que je faisais énormément de sport et, ensuite, par le fait que, vivant encore chez mes parents, mes repas du soir étaient équilibrés.

Les choses se sont considérablement dégradées lorsque j'ai connu mon premier flirt sérieux. Quand on est jeune et sans expérience, on voit tout de suite arriver le prince charmant sur son beau destrier blanc et on fonce tête baissée dans la relation. On privilégie ce bellâtre aux études et aux cours de sport. On se lâche. On enchaîne les restaurants et les fast-foods. Puis on se rend compte un jour que le prince charmant au beau destrier blanc est en fait un goujat mythomane qui part et vous laisse seule avec vos kilos.

La rupture a été en même temps particulièrement difficile et particulièrement libératrice. Ce fut l'occasion pour moi de me reprendre en main sérieusement.

Madame W. est la première nutritionniste que j'ai consultée. C'était une jeune femme d'une trentaine d'années, coupe courte au carré, de stature sportive, avec un franc-parler et un dynamisme à toute épreuve.

J'étais la première cliente de son cabinet. Madame W. venait de s'installer. Le cabinet se situait au second étage d'un bâtiment hexagonal. Les murs étaient immaculés, le matériel médical flambant neuf. Une forte odeur de peinture et de vernis s'en dégageait encore.

La balance *high tech*, avec l'indicateur de masse graisseuse, était juchée au milieu de la pièce.

Lorsque j'ai consulté le Dr W., j'étais à près de 95 kg. Une vraie boule.

« Bon, compte tenu de votre taille, je vais vous prescrire un régime hypocalorique à 1 200 calories par jour. Privilégiez les légumes et les fruits, évitez tout ce qui est matière grasse, sucreries, charcuteries.

Vous voulez arriver à quel poids ?

— À 60 kg, je serais vraiment contente. Pour moi ce serait parfait.

— Ouh là, c'est optimiste. Mais on verra. »

Elle m'a ensuite expliqué la tarification du programme de ce régime, puis elle m'a donné un petit livre avec la teneur en lipides de chaque aliment.

« Alors vous voyez, chaque jour, vous ne devez pas dépasser 60 g de lipides. Si vous avez faim, mangez une pomme, un bout de pain. Si vous avez encore faim, remangez un bout de pain, mais après, limitez-vous. »

Je suis sortie de ce rendez-vous particulièrement enthousiaste et motivée et c'est vrai que ce régime a marché les deux premiers mois. J'avais perdu près de

6 kg. Mais le Dr W., et même si je lui porte toujours de la sympathie, avait commis plusieurs erreurs en me prescrivant ce régime :

- La première est de ne pas m'avoir demandé quel régime me conviendrait en fonction de mes goûts et de mes envies, un régime qui collerait à ma personnalité. D'office, c'était le régime hypocalorique, je n'avais pas d'autre choix. Jamais, elle n'a évoqué un autre régime qui aurait pu me convenir.

- Ensuite, deuxième erreur, c'est un défaut total d'information quant à la pratique du régime. À aucun moment, le Dr W. ne m'a parlé de mon IMC, c'est-à-dire du rapport taille/poids. À l'annonce de mon objectif de 60 kg, au lieu de me répondre que c'était optimiste, il aurait mieux valu qu'elle m'explique qu'étant donné ma taille et l'épaisseur de mes os, il était préférable de viser d'emblée un poids de 65 ou 70 kg.

- Elle aurait dû également me dire que perdre 20 ou 25 kg est une perte importante qui, avec un régime hypocalorique, va prendre du temps. À aucun moment, elle ne m'a informée de la durée qu'un tel régime impliquerait. Du coup, j'ai été confrontée au phénomène de lassitude. Si j'avais été prévenue, peut-être n'aurais-je pas lâché ce régime au bout de deux mois.

- Le Dr W. m'a bien parlé de calories ou de lipides, mais de manière complètement désordonnée, de manière séparée. Elle aurait dû m'expliquer comment lire l'étiquette d'un produit. Ça peut paraître stupide, mais lorsque l'on achète un yaourt, il faut non seulement regarder la teneur en lipides, la teneur en sucres, mais également la valeur énergétique totale correspondante au poids du produit. Généralement, cette valeur énergétique du produit est indiquée pour 100 g. Or, piège, le produit pèse souvent 200 ou 250 g !

- Erreur également de me dire de manger une pomme, ou un morceau de pain en cas de fringale. La pomme est un apport de sucre simple, le pain est un féculent ou sucre lent. En faisant ça, non seulement, vous allez freiner votre perte de poids, mais en plus ces aliments ne vont pas calmer votre faim. Or, à mon sens, un régime où l'on a faim est un régime voué à l'échec.

▸ Dernière, et peut-être la plus grave des erreurs, à aucun moment, le Dr W. ne m'a parlé de la stabilisation de la perte du poids. Or, dans un régime, c'est la période la plus importante.

Au bout de deux mois, j'étais complètement démotivée. Chaque visite chez Mme W. était devenue une contrainte. J'avais même peur d'aller la voir car je me faisais rappeler à l'ordre.

À mon sens, faire des reproches, « disputer le gros », le culpabiliser, est la pire attitude que l'on puisse adopter. Le gros est gros, mais il n'est certainement pas idiot. Même s'il n'a pas connaissance des méthodes pour maigrir, il sait qu'il est gros et il a bien conscience de son état.

Cette situation a duré jusqu'au moment où j'ai pris n'importe quel prétexte pour tout arrêter.

L'avis du Dr Dukan

Tout l'échec de la lutte contre le surpoids est là, dans ces quelques constats de bonne foi et concrets. Mme le Dr W. dont je ne connais pas même le nom est probablement une femme de bonne volonté et qui essaie de faire son métier du mieux qu'elle peut mais elle me rappelle la situation où je me trouvais lorsque j'ai commencé à pratiquer la médecine. On m'avait enseigné que le meilleur moyen de réduire le poids d'un obèse était de réduire le nombre de calories qu'il ingérait. Quoi de plus logique ? « Madame, vous avez grossi parce que vous mangez trop et, si vous voulez maigrir, mangez moins ! » Certes mais cela ne fonctionnait pas car on avait oublié que le

gros n'était pas gros par hasard et encore moins pour l'avoir désiré et recherché mais parce qu'il avait un besoin pulsionnel de manger et qu'en fait, ce n'était pas de l'aliment ou de la nourriture qu'il cherchait en mangeant au-delà de ses besoins nutritifs mais des sensations dites de plaisir, une monnaie d'échange positive capable de neutraliser du déplaisir, un manque passager ou durable de satisfactions, d'épanouissement.
Alors, manger moins de calories paraît être une solution presque risible quand on connaît le soubassement émotionnel, pulsionnel et affectif et surtout sociétal des comportements alimentaires.
Ce qui est incroyable est que ces basses calories qui étaient en usage exclusif dans les années 1950 et qui n'ont depuis lors cessé d'entretenir l'échec de la lutte contre le surpoids soit encore en usage. La seule explication que j'y vois, c'est une sorte de nomenklatura où les tenants de cette diététique comptable à l'usage de robots tient à se maintenir en place et persiste et signe alors que toutes les statistiques du surpoids montrent qu'elle est non seulement inefficace mais entretient son inflation.
Ce combat contre l'inefficacité, il sera long et difficile à mener car il y a trop d'intérêts en jeu et trop de pesanteurs administratives et que les décideurs réels, les politiques, ceux qui, seuls, auraient les moyens d'agir, ne connaissent pas le problème. Comme ils le font pour d'autres dossiers spécialisés, ils confient le dossier aux experts, des médecins administratifs travaillant dans des bureaux où l'on affine des protocoles statistiques, ou des médecins de laboratoires où on affame des rats en cage avec des rations de basses calories... et qui finissent par maigrir, prouvant par là que la méthode fonctionne !

Si l'on veut vraiment changer la donne, ce n'est donc pas d'en haut que viendra la solution mais de la base, de tous ceux qui souffrent de leur surpoids, qui cherchent ardemment un moyen de maigrir et d'en finir avec ce « surpoids chewing-gum » collant et élastique et dont on ne peut se dépêtrer. Les seuls à même de faire avan-

cer la survenue de la solution sont ceux qui pratiquent les régimes, capables de témoigner de leur efficacité respective pendant la phase d'amaigrissement mais bien davantage et presque exclusivement SUR LA DURÉE.
Si un plan ou une méthode doit devenir une référence faisant consensus pour être opposée à la progression incessante du surpoids dans le monde, elle viendra de ceux-là seuls à qui revient la tâche de maigrir. Démocratiquement et pratiquement, ils l'imposeront, ils laplébisciteront, ils rendront les autres obsolètes en refusant de les pratiquer.

C'est d'ailleurs ce qui s'est passé au cours de ces trois dernières années avec la diète protéinée en sachets de poudre. Ces sachets de poudre industriels ont connu un essor lié à l'appui massif du marketing et de la publicité et de leur extrême efficacité. Dans l'euphorie liée à la perte de poids immédiate, on a longtemps occulté l'extrême artificialité d'une telle alimentation aux confins du plus élémentaire naturel et plus encore le retour en boomerang du poids. Faciles, simples et souvent conseillés par les médecins eux-mêmes, les sachets ont causé un tort considérable à la cause du surpoids.
Aujourd'hui, sans que « personne d'en haut » ne l'ait décrété, c'est le public, les utilisateurs, celles et ceux qui en ont souffert qui s'en détournent, qui n'en veulent plus et plus du tout et qui en témoignent et le font savoir par Internet interposé. Ce qu'ils sont capables de refuser, ils peuvent, ils doivent l'être pour plébisciter la solution au surpoids. Vous plaidez pour votre paroisse, me dira-t-on, et je répondrai que c'est vrai. Par intérêt ? Pour la gloire ? En conscience, ce ne sont pas mes moteurs. Ma paroisse, c'est tout simplement que, médecin nutritionniste depuis plus de trente ans, j'ai assisté à l'histoire de la nutrition, j'ai vu apparaître tous les grands régimes, je ne parle pas des autres. J'ai eu la chance de construire ma propre méthode, je l'ai pratiquée à l'usage de mes patients dans l'espace restreint de mon cabinet et du nombre tout aussi restreint de ma clientèle, je l'ai vue se pratiquer toute seule auprès de mes lecteurs, je l'ai vue grandir et s'affirmer

à travers les réseaux du Web, je l'ai vue adoptée par des médecins de plus en plus nombreux, je l'ai vue traverser les frontières, y devenir méthode nationale en Pologne, en Bulgarie, en Corée. En tant que médecin, j'ai acquis la conviction profonde et morale que c'est la méthode qui, aujourd'hui, est la mieux à même d'être celle qui peut porter un coup d'arrêt à la progression du surpoids. Comme je le pense en conscience et que j'ai le privilège d'avoir autant d'années d'expérience de terrain de la nutrition, alors je le dis. Il m'arrive de m'offusquer de ce qui pourrait paraître être de l'immodestie mais je prends ce risque car je le trouve moins grave que le fait de ne pas tout mettre en jeu pour défendre de mon vivant une solution aux difficultés et aux souffrances de tant de personnes à risque.

C'est pendant cette période de régime plus ou moins suivi que j'ai rencontré mon mari, Olivier. C'était en novembre 2001.

J'étais bien, heureuse, tout simplement. Olivier était adorable, prévenant, charmant, et nous écumions tous les petits restaurants de Nancy. Cette période de pur bonheur n'a pas été franchement idéale pour mon poids. Je me suis laissée aller au bien-être et, résultat des courses, j'ai repris, avec du bonus, les quelques kilos perdus avec le Dr W.

Diplômes en poche et professionnellement lancés, nous avions décidé de nous marier en juillet 2003. Mais il n'était pas question pour moi d'apparaître comme une grosse meringue, avec des bourrelets dépassant des voiles et des étoles.

À cette époque, je pesais 102 kg. J'ai donc décidé d'attaquer un nouveau régime, mais cette fois sérieusement. J'ai consulté le Dr D. à Metz, nutritionniste, diabétologue et endocrinologue. Je l'ai choisi en raison de cette disparité de spécialités. Je me disais que, si mon poids n'était pas uniquement dû à mon appétit féroce et destructeur, il le verrait. Ah l'espoir !

La première visite a duré trois quarts d'heure. Un passage auprès de son épouse, également médecin, pour décrire toutes mes habitudes alimentaires, et un entretien avec le Dr D. pour la prescription du régime en question.

Je suis sortie de cette consultation avec, en main, exactement le même régime que ce que m'avait prescrit le Dr W. :

— Un régime hypocalorique d'office, pas personnalisé,
— Pas d'information sur la durée du régime,
— Aucune information sur la stabilisation.

Le Dr D. avait juste un peu plus attiré mon attention sur les produits « light » et m'avait déconseillé leur usage. Il m'en avait recommandé certains, plus que d'autres. Cette comparaison avait commencé à m'ouvrir les yeux sur les valeurs énergétiques des produits.

En revanche, le Dr D. m'avait interdit la consommation de toutes les boissons sucrées et light. Or disons tout de suite que sont, évidemment, à proscrire dans un régime tous les sodas, mais que certaines boissons light peuvent être consommées sans restriction. La grande marque rouge aux lettres blanches commercialise par exemple des boissons colas « light » et maintenant « zéro » à boire sans modération (enfin, en fonction de votre estomac).

La différence entre le régime du Dr W. et celui du Dr D. a juste été une question de motivation. Pour le régime du Dr D., j'avais un but : mon mariage.

J'ai donc commencé mon régime hypocalorique qui donnait à peu près ceci :

Matin : un petit bout de pain avec un café sans sucre,

Midi : un potage tomate déshydraté, maïs, jambon, crudités, pain et fromage, pomme,

Soir : steak, salade vinaigrette, yaourt.

J'ai tenu ce régime environ de février à juillet 2003 et j'ai perdu près de 14 kg.

J'ai atteint mon objectif, dans le sens où j'étais belle le jour de mon mariage. Même à 88 kg, je peux dire que j'étais bien, mise en valeur par une robe magnifique, un chignon et un maquillage qui faisait ressortir mon visage.

Après notre voyage de noces en août 2003, le régime était oublié. L'objectif du mariage avait été atteint et ma motivation s'était envolée. Je ne me sentais pas le courage de reprendre ce régime, et cela pour plusieurs raisons :

- La première était que le régime du Dr D. m'affamait. Les quantités n'étaient pas suffisantes, il m'était pénible de seulement penser que j'allais avoir faim.

- La deuxième était que les visites chez le Dr D. étaient de plus en plus courtes et particulièrement onéreuses. Je me souviens que, lors de la dernière consultation, je ne suis même plus montée sur la balance.

- La troisième était professionnelle.

Je n'ai pas reperdu de poids, mais n'ai pas repris tout de suite les kilos perdus avec le Dr D. Tout d'abord, parce que j'ai gardé pendant quelques mois une bonne hygiène de vie. Je continuais à faire attention à ce que je mangeais, tout en me faisant plaisir, et je faisais alternativement du fitness et de la natation entre 12 h et 14 h.

Ces bonnes résolutions ont duré jusqu'en mai 2004, période à laquelle nous avons, mon mari et moi-même, décidé de faire un enfant. Voulant mettre toutes les chances de mon côté, j'ai consulté une gynécologue à Metz… tout un poème !

J'attendais sur le canapé brun de cette grande pièce blanche rectangulaire. J'étais assise face à une grande porte vitrée. Au sol, il y avait un immense tapis gris et rouge. À ma gauche, se trouvait le bureau de la secrétaire et, à ma droite, le cabinet médical.

À l'appel de mon nom, je pénétrai dans le cabinet. Les murs étaient d'un blanc profond et le sol recouvert d'un tapis rouge. La table d'auscultation se trouvait derrière un paravent chinois. Tout me paraissait petit et étriqué.

J'expliquai à ce médecin mon souhait d'avoir un enfant. Je savais que certains médecins n'avaient pas fait de grandes études de psychologie, mais là, c'était au-dessus de tout ce que j'imaginais.

D'après elle, mon poids était un obstacle à la grossesse. Il me serait impossible de concevoir un enfant dans un état pareil. Il convenait de faire un régime avant d'entreprendre quoi que que ce soit. Elle m'a fait comprendre qu'énorme telle que je l'étais, je mettrais la vie de mon enfant en danger. Elle s'est montrée hautaine et blessante.

Même s'il est vrai que l'obésité ne facilite pas une grossesse et qu'il convient de prendre toute une série de précautions quand une obèse souhaite concevoir un enfant et *a fortiori* tombe enceinte, il y a une manière de dire les choses, d'arrondir les angles. Et cette femme ne connaissait que les angles aigus ! Du coup, ce qu'elle a voulu me dire, à savoir maigrir avant de tomber enceinte, je ne l'ai pas entendu. Je me suis braquée et suis restée bloquée sur la manière particulièrement déplacée de m'informer des risques d'une grossesse dans mon état.

Cerise sur le gâteau : cette gynécologue m'a clairement expliqué avec mépris et même moquerie qu'avec le rythme de vie que je menais, il me serait impossible de tomber enceinte.

Je me rappelle être sortie de son cabinet en larmes, me répétant que je ne pourrais pas enfanter comme n'importe quelle femme et surtout avoir retenu de la consultation que je devais diminuer mon activité.

À partir de cette visite, dans mon esprit, il fallait que j'évite de fatiguer mon corps, pour pouvoir tomber enceinte plus rapidement. Du coup, je suis allée moins faire de sport et j'ai augmenté mes repas, non pas en graisse, mais en quantité. Forcément, comme je n'avais pas stabilisé mon poids avec le régime du Dr D., j'ai commencé par reprendre à une vitesse éclair tous les kilos que j'avais perdus, et avec du bonus.

J'en veux terriblement à ce médecin, car c'est en partie à cause d'elle et de ses réflexions blessantes, si je suis montée au poids de 130 kg avec la grossesse, pour retomber à 119 kg après la grossesse. C'est aussi à cause de cette personne que j'ai stressé pendant ces sept mois d'« essai bébé » et que j'ai bassiné Olivier avec mon risque de stérilité.

Finalement, je suis tombée enceinte sans problème, en novembre 2004, soit sept mois après cette visite chez cette gynécologue et sept mois… c'est la durée moyenne de conception d'un enfant, non ?

J'étais enceinte et, la suite, vous la connaissez…

Chapitre 4

LE DÉCLIC

Qu'est-ce que le déclic ?

Quelle est la raison qui va faire qu'une personne décide de faire un régime, mais **surtout décide de le maintenir sur une longue période ?**

Le déclic est personnel. Il ne peut venir que de la personne qui veut entamer un régime. C'est pourquoi un régime est, dès le départ, voué à l'échec quand une personne commence un régime pour faire plaisir à un proche, cède sous la pression d'un parent ou d'un ami. Le déclic doit être une motivation profonde du régimeur lui-même. Il doit penser « je veux maigrir » et non pas « il faut que je maigrisse ». C'est le déclic que fait cette différence.

Évidemment, le déclic étant personnel, il peut être divers et varié.

L'avis du Dr Dukan

Le déclic est un élément capital et dont l'explication relève du fonctionnement de l'inconscient. Chaque jour, je reçois des femmes ou des hommes qui ont vécu pendant des mois ou des années avec un surpoids mal-aimé sans mot dire, en évitant la pesée et les miroirs et qui, brusquement, un jour, se sentent investis d'une force qui leur impose de voir en face leur situation et leur problème et de se mobiliser pour le faire disparaître.

J'ai beaucoup réfléchi et travaillé sur l'éruption quasi volcanique qui monte des profondeurs. Personnellement, je rattache tout cet incompréhensible apparent à la cause initiale du surpoids, l'homéostasie du plaisir. On ne grossit pas « innocemment » avec un surpoids qui pollue la vie. Si l'on grossit, c'est d'avoir mangé longtemps au-delà de ses besoins biologiques et nutritionnels. Sachant très bien que cette alimentation génère du surpoids et que ce surpoids est détesté, il est facile d'en déduire que l'on cherche dans l'aliment et les sensations qu'il véhicule un élément de la plus haute importance. Cet élément, c'est quelque chose qui, des récepteurs sensoriels de la bouche, parvient, neurone après neurone, à un tout petit centre cérébral archaïque commun à tous les mammifères et qui a le pouvoir de créer du plaisir. Ce plaisir n'est pas seulement une simple sensation agréable mais une « nourriture » essentielle qui a le pouvoir de recharger l'envie et le besoin de vivre. Donc, quand certaines embellies apparaissent dans une vie, aussi minimes soient-elles, pour ne plus rendre aussi absolue l'obligation vitale de manger pour « tenir debout », l'envie de trouver du plaisir à retrouver une image de soi émerge et cela paraît possible.

Quand on en est là, investi d'une force issue des profondeurs, il faut tout faire pour la mettre à profit sans tarder. La personne qui en est habitée le sent d'instinct, elle sait que sans passage à l'acte immédiat avec résultat fort et encourageant, cette flamme s'éteindra. Là encore, il est capital de choisir une méthode efficace et qui apporte très vite les premiers résultats. Les protéines sur quatre, cinq ou sept jours sont capables d'entraîner une perte de 1,5 à 4 kg et une sensation immédiate de dégonflement. J'ai construit les deux phases de la Consolidation et de la stabilisation définitive car ne pas protéger le poids conquis, ne pas le stabiliser et donc regrossir est capable de refouler ce déclic dans les fosses de l'inconscient pour très longtemps.

Pour certains, le déclic pourrait être ce diktat de la mode.

Tous les obèses, mais également de nombreuses personnes en surpoids, rencontrent d'énormes difficultés à trouver des vêtements à leur taille.

La mode est faite ainsi, guidée par une idée précise et momentanée de ce que doit être l'esthétisme, à savoir la minceur, voire la maigreur.

Certes, il y a eu une certaine prise de conscience des professionnels de la mode de ce phénomène suite au décès de plusieurs mannequins rendues anorexiques par les exigences de grands créateurs ou couturiers, mais on est encore loin de défilés conçus pour la Française moyenne et encore moins pour la femme ronde.

Je peux vous dire que j'ai applaudi des deux mains la campagne de publicité de cette grande marque de sous-vêtements qui avait décidé de faire poser des femmes « normales » pour faire la promotion de leurs produits.

Néanmoins, dans de nombreuses boutiques, si vous n'êtes pas une fille plus plate qu'une feuille de papier faxé et aussi blanche qu'un zombi déshydraté, vous ne pouvez pas vous habiller. Vous êtes cantonnées à zoner dans les rayons « grande taille », voire même « maternité ». Vous ne pouvez prétendre qu'à d'infâmes sacs à patates, toujours noirs, qui dissimulent vos bourrelets, ou à des pulls à rayures, toujours verticales, car comme le dirait un charmant personnage de bande dessinée, « tout le monde sait que c'est dans le sens de la hauteur que les rayures amincissent ».

Par autodérision, je me souviens être entrée dans ces fameuses boutiques à l'enseigne rose bonbon, rappelant le nom d'une célèbre chanteuse et dédiées uniquement aux adolescentes anorexiques.

Dans ces rayons, les tailles vont du 34 au 42. Ce sont de véritables vêtements de poupée : mignons mais tout petits.

Errant comme une pauvre désespérée dans cet univers lilliputien, j'avais décidé de faire un test : j'avais choisi un pantalon en stretch bleu dans leur plus grande taille (42) et j'ai essayé de glisser mon avant-bras dans la gambette du pantalon. Eh bien constat navrant : mon bras ne rentrait pas dedans !

Il existe bien des magasins destinés aux « hors normes ». Mais, ils élisent souvent domicile dans la capitale et dans les grandes métropoles. Il n'y a que de rares implantations de ce type de commerce dans les petites villes de province. De plus, le prix des vêtements dans ce genre de boutique est particulièrement élevé. Eh oui, vous devez payer l'utilisation de tissu supplémentaire.

En me lisant, vous aurez donc compris que, si vous êtes un pauvre obèse des champs, vous aurez beaucoup plus de mal à vous habiller qu'un riche obèse parisien.

Comment aujourd'hui les obèses font-ils pour s'habiller ? Comment ai-je fait à l'époque pour me trouver des vêtements ?

▸ La première solution, c'est la commande *via* Internet de vêtements aux standards américains. Les États-Unis, dont une grande partie de la population est obèse, ont compris qu'il était nécessaire d'adapter leur mode aux tailles de leurs habitants. Malheureusement, cette solution reste particulièrement onéreuse.

▸ À défaut d'une commande sur le Net, quand on est obèse, il faut savoir être habile de ses dix doigts. Beaucoup d'obèses se fabriquent eux-mêmes des vêtements. Sur certains sites, vous pouvez trouver toute une série d'astuces, de techniques, et même des « patrons ». Mes talents de couturière laissant légèrement à désirer, j'avais vite abandonné cette idée. Alors, je bricolais. Mon unique pantalon était large à la taille, mais parfait pour mes énormes cuisses et fesses. Je me servais de trois épingles à nourrice pour empêcher mon « fut » de tomber. Je prenais bien garde aussi à avoir des pulls bien longs qui me cachent les fesses, pour éviter que les gens autour de moi ne s'aperçoivent de mon stratagème et ne remarquent qu'il s'agissait toujours du même pantalon.

▶ Autre solution, vous avez les bourses aux vêtements organisées par certaines associations de gros. Mais, tout comme les commerces spécialisés, la plupart de ces associations se trouvent en région parisienne.

▶ Dernière solution : maigrir pour être enfin aux normes.

Pour d'autres, le déclic pourrait être le fait d'en avoir assez de se prendre dans la figure des petites phrases assassines.

Il faut le savoir : quand on est gros, il est courant de se prendre des remarques et des réflexions vraiment blessantes.

Dans l'ordre des belles vacheries, en commençant par les plus « gentilles », l'on peut entendre :

Je travaillais mes étés comme monitrice dans des camps de vacances.

« Dis donc Madame, t'as des bonnes cuisses toi ! »

« Pourquoi t'es toujours habillée comme un clown ? »

Lors d'une activité de kayak, un gamin à un autre : « T'as vu la taille des mollets ! »

Il y a aussi les « classiques ». Ce sont les réflexions qui vous heurtent, mais pour lesquelles la première chose qui vous vient à l'esprit, c'est : « mais quel "gros" con ! »

Moi : « Quand je suis énervée, je n'arrête pas de manger. »

Une collègue : « Ah bon, bah tu dois être énervée souvent alors ! »

Une maman à sa gamine : « Je t'achète pas de bonbons sinon tu vas être aussi grosse que la dame. »

Un collègue au self de l'entreprise : « Faudrait te faire greffer une fourchette à la place de la main toi... »

À la terrasse d'un café, le serveur : « Il faut vous asseoir sur la banquette, Madame, car les chaises sont trop petites pour vous. »

Sur un escabeau, une amie à mes pieds. Un passant : « Ça devrait être le contraire, parce que si vous tombez vous allez écraser votre copine. »

À la fête foraine, un homme adossé à un jeu : « Oh, bah t'es vraiment pas belle, toi ! »

Enfin, il y a vraiment les terribles réflexions, celles qui vous touchent profondément, celles qui vous font vous détester, pleurer, et qui vous donnent même envie de mourir.

Dans une parapharmacie, je regardais les fameux produits de régime. Une autre cliente s'approche et balance : « Je suppose que vous n'en avez jamais acheté. »

Lors d'une animation scolaire, je racontais aux élèves que les mammouths avaient disparu suite à de terribles cataclysmes. Et là, un élève me sort : « Ben non, Madame, les mammouths n'ont pas disparu, vous êtes là, vous. »

La pire réflexion est venue de ma gynéco au moment de ma grossesse. C'était au quatrième mois, au moment du test O' Sullivan, test pour détecter le sucre dans le sang et le risque pour le bébé d'être diabétique.

Ma gynéco m'a simplement dit : « Avec votre corpulence, le test du bébé ne pourra être que positif. »

J'ai stressé, culpabilisé d'avoir mis la vie de mon enfant en danger. Résultat : le test était négatif, ce qui a particulièrement surpris ma cloche de gynécologue. Mais ce n'est pas parce qu'on est gros qu'on est forcément diabétique, que le bébé risque forcément d'être atteint de cette pathologie.

Pour d'autres encore, ce sont des raisons médicales qui vont les pousser à maigrir.

Je me souviens d'avoir lu le témoignage très imagé d'un médecin à ce sujet. Il disait à sa patiente : « Chère Madame, vous êtes une 2 CV et vous êtes chargée comme un semi-remorque ; vous ne pouvez pas avancer correctement et vous abîmez la mécanique. »

Bien qu'elle soit particulièrement maladroite, cette métaphore est profondément juste. Rassurez-vous, il n'est pas question de rentrer dans des détails médicaux (d'ailleurs, je n'en ai pas les compétences), mais il est bien clair que l'obésité constitue une réelle menace pour la santé.

Les risques de mortalité sont augmentés, d'autant plus que l'obésité est sévère et précoce. Les risques de maladie associés dépendent de l'âge et des pathologies déjà présentes. Ce sont :

- Le diabète non insulino-dépendant, dit diabète « gras » curieusement ;
- Les maladies cardiovasculaires y compris l'hypertension artérielle ;
- Les problèmes respiratoires et notamment l'apnée du sommeil ;
- Les problèmes rhumatologiques au niveau des hanches, des genoux et de la colonne vertébrale ;
- Les problèmes de métabolisme, notamment des lipides sanguins ;
- Les anomalies hormonales ;
- Les calculs de la vésicule biliaire ;
- les problèmes veineux et de peau ;
- L'augmentation des risques encourus en cas d'opération chirurgicale.

En étant obèse, j'avais de la tension artérielle, de nombreux problèmes rhumatologiques, un taux de cholestérol à faire frémir n'importe quel médecin. J'étais également particulièrement essoufflée.

Ma perte de poids a résolu comme par enchantement **l'intégralité** de ces pathologies.

Alors, bien sûr, j'ai aussi maigri pour pouvoir être à la mode, pour ne plus me prendre constamment des réflexions débiles ou encore pour ma santé. Mais ce déclic, la cause de mon amaigrissement, ce fut tout autre chose :

Ce fut une projection dans l'avenir, une vision d'horreur, un sentiment de mal-être indescriptible. Ce fut un événement si fort, une vision si horrible que tous les sacrifices qui allaient s'imposer en maigrissant n'étaient rien à côté de cette pensée atroce qui est venue me traverser l'esprit.

Mon déclic, ce fut un choc psychologique particulièrement violent.

Alors enceinte d'Alexandre, en surfant sur un forum de discussion dédié à l'obésité, je suis tombée sur le témoignage d'une maman complètement désespérée.

Cette maman racontait que son fils de 8 ans ne voulait plus qu'elle aille l'attendre à la sortie de l'école, parce que les copains se moquaient d'elle à cause de son obésité. Ces petits monstres lui avaient trouvé le surnom de « 100 % grossesse ».

Cette maman décrivait toutes les stratégies qu'elle avait déployées pour se dissimuler quand elle devait aller chercher son fils à l'école. Se garer loin de la porte d'entrée, et rester soigneusement dans la voiture, mettre un grand manteau avec une capuche par temps de pluie, essayer de se fondre dans le lot de toutes les mamans à la sortie, ou encore demander à son fils de sortir de classe en dernier.

Mère célibataire, cette maman avait même pensé embaucher spécialement quelqu'un pour aller chercher son fiston à la sortie de l'école. Mais ses moyens financiers l'en avaient empêché.

Cette pauvre femme criait littéralement par écrit son désespoir. Elle expliquait comment son fils lui en voulait, comment il était devenu distant avec elle et, surtout, le pire de tout à mon sens, comment il rentrait lui-même dans le jeu de moqueries de ses « copains » pour avoir la paix et ne pas être la risée de l'école.

D'un seul coup, je me suis regardée et je me suis dit que cette maman, ça pouvait être moi.

Et si un jour je faisais honte à mon fils ? Et si un jour il ne voulait pas que je l'accompagne ou vienne le chercher à l'école parce que ses copains se moquaient de moi ?

D'un seul coup, j'ai imaginé que le fils de cette maman pourrait être Alexandre. Je l'imaginais déjà traîner le plus possible dans la salle de classe pour éviter de sortir en même temps que ses copains et être obligé de m'embrasser devant eux ou je l'imaginais passer devant moi en faisant semblant de ne pas me voir. Je l'entendais déjà me dire que ce n'était pas la peine que je le dépose devant le collège, qu'il y avait des bus et que je serais bloquée en repartant. Je le voyais rougir et détourner la tête quand je viendrais aux réunions de classe discuter avec ses professeurs. Je l'entendais me dire qu'il fallait que j'arrête de manger, que j'étais déjà suffisamment grosse comme ça et je le voyais me lancer des regards inquisiteurs à chaque bouchée lors des repas.

Je m'imaginais être cette maman. Jamais, jamais, jamais, je ne pourrais supporter que mon fils me cache, éprouve un sentiment de culpabilité et de honte d'être mon enfant et me fasse le reproche d'être telle que je suis. JAMAIS !

Lorsque j'ai éteint l'ordinateur, j'étais trempée de sueur, j'avais l'estomac noué. J'avais même une furieuse envie de vomir. J'étais complètement bouleversée par ce que je venais de lire. Ce témoignage m'a tellement marquée, que je n'en ai pas dormi de la nuit.

C'est le lendemain de la lecture de ce terrible témoignage que j'ai pris la décision de maigrir définitivement et je me suis juré d'y arriver… pour lui.

L'avis du Dr Dukan

Le problème de la motivation, c'est celui du combat que se livrent les forces multiples dans le fond inconscient d'un moi. Le cerveau humain est formé de trois cerveaux successifs qui se sont empilés l'un sur l'autre à trois moments de son évolution.

Le cerveau instinctif, celui des reptiles qui assure la survie, celle du corps avec le fonctionnement des grandes fonctions et des instincts de survie, la faim et la soif, la digestion, les hormones, la sexualité.
Le cerveau des émotions et du plaisir, celui des mammifères qui gère l'attirance ou la répulsion et qui nous incite à récolter le plaisir et à fuir ou à refuser ce qui est désagréable et fait souffrir.
Enfin le cerveau de la conscience et de la raison, celui qui assure le langage, l'intelligence, et optimise l'action par l'anticipation.
Quand vous entamez un régime, habituellement, c'est pour satisfaire à la culture, la mode, l'air du temps ou par compréhension des dangers de trop peser et vous êtes prête à accepter les efforts nécessaires. Mais le cerveau des instincts n'est pas d'accord, il ne veut pas perdre ses réserves qui sont la meilleure protection contre le manque et l'alimentation énergétique. Enfin, le cerveau des émotions et du plaisir ne veut pas se priver du plaisir de manger et surtout de calmer la souffrance de la faim et la possibilité de compenser le déplaisir par de l'alimentaire. Le problème vient du fait que ces trois cerveaux ne sont ni intégrés ni unifiés et que chacun roule pour lui et que l'instinct et le plaisir sont plus forts que la raison.

Au total, si l'on veut déclencher et entretenir une forte motivation, il faut utiliser le registre des instincts et faire appel à d'autres instincts pour s'opposer à ceux qui font barrage. Ainsi, mettre en balance l'instinct sexuel qui est aussi puissant que l'alimentaire, la séduction, les retrouvailles avec la beauté, l'instinct d'appartenance au groupe qui peut faire jouer les forces d'intégration ou le message du groupe insuffle de la force au projet de retrouver la norme. Et l'instinct de conservation en parlant de survie, de santé, d'évitement de la maladie. Enfin, il y a aussi l'appel au plaisir, celui de retrouver son image perdue, son identité, son corps, et réussir est générateur d'un plaisir qu'il faut conserver en mémoire car c'est un merveilleux stimulateur de motivation.

Chapitre 5

PRÉTEXTES, MENSONGES ET PERSONNALITÉ

Si vous voulez maigrir durablement, il y a un gros travail à entreprendre avant le régime proprement dit.

D'abord, il va falloir vous débarrasser de tous ces prétextes et préjugés que vous allez utiliser pour fuir le régime, pour y déroger quelque temps ou pour le stopper.

Ensuite, vous allez devoir déjouer le jeu perfide de notre société, qui a comme seul et unique objectif de faire maigrir votre portefeuille.

Enfin, maigrir signifie que vous soyez prêt à faire un travail sur vous, psychologique, et que vous preniez conscience qu'un changement définitif de comportement alimentaire est indispensable à la réussite d'un régime.

L'avis du Dr Dukan

Quand on parle de société et de société en relation avec les individus qui la composent, on entre dans ce que j'appelle la loi de la ruche et de l'abeille. Aujourd'hui, il faut comprendre que dans le face-à-face de l'individu avec la société, c'est clairement la loi de la société qui prévaut. Ce qui importe pour que la société survive, c'est que soit assurée la boucle de la production et de la consommation et malheureusement, les personnes fragiles, vulnérables et en souf-

france, consomment plus que celles qui ont le bonheur simple et gratuit, facile.
Dans le cadre de ces sociétés à modèle économique dominant, l'individu en souffrance – plus souvent une femme qu'un homme –, ira chercher son supplément de contentement de vie dans le territoire le plus immédiatement accessible, celui de la bouffe.
Si vous intégrez cette notion, vous aurez la lucidité et la force de désencombrer vos lieux de décision et de laisser aux forces de vie qui vous habitent créer ce déclic qui concentre en un moment et un lieu un geyser de motivation capable de déclencher des opérations sans cesse retardées.

Stop aux prétextes !

Ces prétextes, vous les connaissez par cœur : ce sont tous ces milliards d'excuses que vous inventez pour ne pas vous mettre au régime, pour craquer ou pour abandonner votre phase d'amaigrissement. Je les connais, j'étais devenue une experte en la matière. Une championne toutes catégories. Ce qu'était David Douillet au judo, moi je l'étais en prétextes ! J'en ai répertorié des dizaines et des dizaines.

Il faut se rendre à l'évidence : utiliser ce type d'excuse évite clairement d'assumer le fait que l'on n'a pas la volonté de s'y mettre, la volonté de ne pas craquer ou encore la volonté de poursuivre le régime. Avouer une défaillance n'est jamais facile.

Qui ne préfère pas user d'une excuse bidon et même y croire soi-même, plutôt que d'avouer sa faiblesse ?

Voici un florilège de toutes les belles excuses que j'ai inventées, utilisées ou entendues. Je suis à peu près sûre que vous vous retrouverez dans ces belles expressions :

« Je commence lundi. »

Si un jour quelqu'un peut m'expliquer pourquoi on doit impérativement commencer un régime un lundi, l'explication est la bienvenue. Je ne vois pas en quoi le fait de commencer le régime un lundi, le jour de l'an, après les vacances, ou à la rentrée, va changer quoi que ce soit au régime en lui-même. C'est purement conventionnel et rien d'autre. Si vous êtes décidé à commencer un régime le jeudi, faites-le tout de suite. Il est complètement inutile d'attendre le lundi suivant. Vous aurez juste perdu du temps.

L'avis du Dr Dukan

Je ne suis pas d'accord ; le lundi n'est pas un jour comme les autres, comme le jeudi de stabilisation qui est le socle de la stabilisation durable n'est pas non plus un jour comme les autres. Nous touchons ici à ce que j'appelle la force de la structure. Dans toute entreprise humaine, surtout si elle est difficile, l'organisation est décisive.
Cette planification et cette structuration de l'offensive lui confèrent son efficacité.
On ne part pas en guerre ou en exploration sans une feuille de route.
Dans cette optique, commencer un régime un lundi, c'est commencer par le commencement, celui de la semaine est le symbole fort d'une action bien préparée. De même quand j'ai commencé à préconiser une journée sentinelle par semaine de protéines pures pour stabiliser le poids obtenu, l'observance n'a pas été respectée mais le fut bien davantage quand j'ai demandé à ce que ce soit un jeudi. L'argument d'autorité facilite le suivi d'un acte contraignant.
Donc, si vous le pouvez, commencez votre plan de régime en même temps que la semaine.

Commencer lundi le régime, ça a juste été pour moi l'occasion de m'empiffrer encore plus entre le moment où j'avais pris la décision de mon amaigrissement et le moment où je m'y mettais vraiment.

« J'attends d'avoir fini mes examens, d'avoir fini tel projet, d'avoir changé de situation professionnelle. »

On ne peut pas nier que certaines périodes sont plus propices que d'autres pour débuter un régime. Gérer un grave problème tel qu'un divorce ou un deuil, un licenciement, et en même temps débuter un régime n'est pas forcément une bonne chose. Non pas que les deux soient physiquement incompatibles, mais la réussite d'un régime tient également à l'attention que l'on va y porter. Or si l'attention est monopolisée par un événement d'une réelle gravité, on peut comprendre aisément qu'il est difficile de mener de front deux gros problèmes.

Dans ces hypothèses particulières, il est bien mieux de gérer les événements successivement et d'entamer une phase d'amaigrissement à un moment beaucoup plus « propice ». De plus, la perte de poids liée à la maladie ou à la peine est toujours suivie d'une période d'abus alimentaires, puisque la volonté de maigrir est absente.

En dehors de ces cas particuliers, je pense qu'il est toujours possible d'attaquer ou de suivre un régime, même pendant un changement, même pendant une période d'examen.

En plein milieu de ma phase d'amaigrissement, j'ai trouvé un nouvel emploi et j'ai changé complètement de cadre professionnel. Un nouvel environnement, un job à responsabilité, de nouvelles têtes, un nouveau stress... mais j'ai tenu mon régime.

« Je n'ai pas le temps, j'ai trop de travail. »

Concrètement, cette expression signifie que l'on est tellement monopolisé par le travail, que l'on n'a pas le temps de manger sainement, équilibré ou hyper protéiné.

C'est absolument n'importe quoi. Il suffit simplement de le vouloir et d'organiser son temps de travail autour de son régime.

Comment faut-il faire ?

Rien de plus simple. Pour ceux qui, comme moi, ont un emploi du temps gérable, ne prévoyez pas de rendez-vous en fin de matinée ou en fin de journée. Ainsi, vous couperez beaucoup plus facilement aux repas d'affaires et aux apéritifs à rallonge. Si le repas avec vos supérieurs, collègues ou clients devient inévitable, essayez d'imposer adroitement votre choix de restaurant. Ainsi, vous pourrez choisir l'endroit qui propose le menu le plus approprié à votre régime. Si vous ne pouvez pas choisir le restaurant, vous aurez toujours la possibilité d'un menu « light ». Vous êtes dans une société de consommation, avec des cartes de restaurant des plus variées, il est possible de limiter les dégâts.

Vous êtes sur les routes, ou contraints de manger sur le pouce ? Qu'à cela ne tienne ! Préparez-vous la veille votre « gamelle » hypocalorique ou hyper protéinée.

Ne me dites pas que le régime n'est pas intégrable dans le travail.

Vous n'êtes toujours pas convaincus ?

Je vous reproduis scrupuleusement mon emploi du temps de la deuxième semaine de septembre 2007.

Jours	Lundi	Mardi	Mercredi	Jeudi	Vendredi	Samedi	Dimanche
	Rdv Avocat Lux. (8 h 30-10 h 30) Bureau	Étude échéanciers pour suivi de recouvrement	Rdv cabinet comptable 9 h 00-10 h 30	Rédaction contrats immobiliers et commerciaux Bureau	Gestion sociale	Piscine	Footing
Midi	Piscine	Musculation	Piscine	Musculation	Piscine		
	Réunion Sécurité 14 h 00-15 h 30 Réunion Agence Intérim 16 h 00-18 h 00	Avocat Metz (14 h 00-17 h 30)	Bureau Formation juridique aux conducteurs de travaux (17 h 30-19 h 30)	Bureau	Bureau	Enfin du temps pour mon mari et mon bonhomme !	
Soir (22 h)	Karaté	Boxe		Karaté	Footing		

C'est mon quotidien et je n'exagère pas.

« Après tous les efforts que j'ai faits, j'ai bien droit à une récompense. »

Il faut arrêter d'assimiler la nourriture à une récompense. Cassez tout de suite cette image de « *tu as été sage, tu auras un bonbon* ».

Si vous faites des efforts, c'est pour vous et la plus belle des récompenses sera celle de maigrir. Croyez-moi : vous aurez bien plus de satisfaction à voir descendre la balance que de manger une part de pizza.

Maintenant si, psychologiquement, vous avez besoin de vous récompenser pour perdre du poids, préférez comme récompense l'achat du dernier bouquin qui vous faisait envie, plutôt qu'un kebab dégoulinant de graisse et de sauce blanche.

« Ça ne peut pas me faire de mal un tout petit écart. »

Oui, effectivement, un petit écart n'aura pas une grande incidence sur votre amaigrissement, à moins que cet écart ne soit énorme en nombre de calories.

C'est plus psychologiquement que ça va nuire à votre régime. C'est la porte ouverte à tous les autres écarts qui vont suivre.

Ne vous êtes-vous jamais dit en craquant : « Bah un de plus ou un de moins ? » ou « Oh, au point où j'en suis ! »

Et là, une fois l'écart passé, il est bien plus difficile de revenir à une phase d'amaigrissement efficace. Cette attitude peut même vous conduire à stopper votre régime.

Retenez donc : un petit écart peut vous faire très mal.

« Ce régime ne marche pas. »

En dehors d'un problème de santé spécifique, si vous ne maigrissez pas, c'est que vous n'appliquez pas les règles de votre régime comme vous le devriez. Il est impératif de suivre les prescriptions !

Dans le régime que j'ai pratiqué, si vous ne maigrissez pas, c'est que, par exemple, vous avez remplacé le son d'avoine par les flocons d'avoine, ou que vous mangez des produits laitiers allégés mais supérieurs aux 3 % de matière grasse maximale autorisés.

L'avis du Dr Dukan

Il n'est pas juste de dire que tous les régimes se valent. C'est dans la croyance à un tel cliché que la lutte contre le surpoids s'est enlisée. Pour qu'un régime puisse s'attaquer à une alimentation de gratification utilisée pour compenser une récolte insuffisante de satisfaction, de plaisir et d'épanouissement, il faut que ce régime soit acceptable et efficace, car un moteur non alimenté s'éteint. Pour moi qui ai trente-cinq ans d'expérience dans la nutrition et la guerre contre le surpoids, je considère que le régime dit des basses calories fut l'un des meilleurs agents de recrutement et d'entretien du surpoids dans le monde. Pourquoi ? Parce qu'il est contre naturel et s'oppose frontalement à la psychologie de la personne obèse ou en surpoids. De tout en petite quantité, c'est le meilleur moyen d'échouer car l'homme peut accepter la parcimonie de pénurie qui s'impose à lui mais pas celle qu'il doit s'imposer à lui-même. Face à la tentation alimentaire, l'homme n'est pas programmé pour résister. De plus, le tout en petite quantité introduit le loup dans la bergerie et un carré de chocolat en appelle trop souvent un autre.

Aujourd'hui encore, on enseigne officiellement cette stratégie nutritionnellement correcte et l'on contemple le désastre de la montée accélérée du surpoids dans le monde sans vouloir accepter que cette stratégie en est l'un des principaux agents. Quand un remède fait la preuve de son inefficacité, il est fautif de ne pas l'accepter.

Un bon plan amaigrissant doit être efficace, rapide au démarrage pour ne pas décourager celui qui s'est lancé dedans ni interrompre le déclic moteur. Il doit être naturel, non seulement dans les aliments qui le composent – l'homme n'est pas un mangeur de poudre – mais aussi dans le respect de l'importance de leur impact métabolique et de leur charge émotionnelle et affective. Ainsi, il y a un monde entre des corn-flakes – maïs raffiné au-delà du possible puis laminé jusqu'à en perdre sa trame végétale – et une darne de poisson ou une pintade rôtie. Il existe des aliments humains, ceux des origines, ceux du chasseur de protéines et de la cueilleuse de végétaux.

Un bon régime doit générer le minimum de frustration et le maximum d'efficacité.

Il doit absolument comporter une part d'activité physique tant pour générer du plaisir et la sécrétion d'endorphines naturelles que pour brûler suffisamment de calories pour alléger la contrainte du régime.

Il doit impérativement être articulé à un plan de stabilisation qui ne soit pas résumé à des conseils de bon sens mais fondé sur des mesures simples, claires, naturelles, extrêmement efficaces, suffisamment indolores pour être suivies à vie mais non négociables afin de constituer un mur de non-transgression difficile à franchir.

Enfin, il est tout aussi important, sinon plus, d'assurer un suivi, un encadrement du plan qui en réduise la difficulté. Ce suivi doit être personnalisé ou ne doit pas être. Un suivi qui ne sait pas à qui il s'adresse est une plaisanterie mais c'est hélas ce qui se passe pour tout ce qui se présente sous la forme de « coaching du surpoids ». Ce suivi doit être quotidien pour éviter les échappements et les décrochages.

Et, plus encore, un suivi doit être un suivi. L'idéal est d'être suivi par un médecin ou un diététicien qui applique le régime prescrit par un médecin. Le problème est qu'il existe moins de 300 médecins spécialisés et près de 25 millions de personnes en surpoids ou obèses.

Le meilleur suivi non médical fut celui proposé par Weight Watchers. Aujourd'hui, il tend à être remplacé par le coaching sur Internet. Mais, pour que ce nouveau canal de suivi soit possible et efficace, il faut que

le suivi soit un suivi ! Cela veut tout simplement dire que l'autorité qui donne la consigne doit savoir si cette consigne a été suivie ou non, à moitié, intégralement ou pas du tout, afin de pouvoir prescrire la suivante, pour rectifier, corriger, enchaîner, gronder ou morigéner, ou au contraire féliciter et renforcer la force de propulsion.
Enfin, un bon régime doit éviter comme la peste de tomber dans le piège des propositions « magiques » des régimes et des livres qui séduisent par leur apparente facilité ou leur étrangeté. Ces régimes, par leur grand nombre, leur surenchère de séduction et leur inefficacité sur le moyen et surtout sur le long terme, occupent l'espace de proposition, réduisent la visibilité des méthodes efficaces et se comportent comme des agents objectifs du surpoids.

En voici quelques-uns parmi les plus fréquents au sein desquels tous ne sont pas aussi aberrants. Certains seraient presque amusants, d'autres sont ridicules, d'autres, enfin, présentent un semblant d'intérêt mais trop ponctuel et limité pour faire face à l'intensité d'un vrai surpoids.

– Maigrir par l'auto-hypnose,
– Maigrir par la cohérence cardiaque,
– Maigrir par le groupe sanguin,
– Maigrir par la chrono nutrition,
– Maigrir sans régime,
– Maigrir avec les acides et les bases,
– Maigrir en dormant,
– Maigrir par l'EFT technique de libération émotionnelle,
– Maigrir avec les fleurs de Bach,
– Maigrir avec l'Ayurveda,
– Maigrir par le jeûne,
– Maigrir avec le Qi Gong,
– Maigrir en faisant des repas d'affaires,
– Maigrir par la conception holistique,
– Maigrir par la visualisation,
– Maigrir par le Ying et le Yang,
– Maigrir par le rire,
– Maigrir avec la soupe magique,

– Maigrir avec les hautes calories,
– Maigrir en faisant l'amour,
– Maigrir avec la mastication,
– Maigrir par l'imposition des mains,
– Maigrir par l'astrologie.

Vous voulez maigrir ?

Renoncez définitivement à toutes ces excuses. Commencez votre régime immédiatement, maintenez-le autant que possible et, si vous faites un écart, assumez-le !

Stop aux idées reçues !

Commencer un régime, c'est aussi être prêt à renoncer à de nombreuses idées reçues.

« Il faut bien manger le matin », « Je ne dois pas sauter un repas » ou « Je dois faire trois repas par jour ».

Pourquoi manger absolument si l'on n'a pas faim et si aucune raison médicale ne vous y oblige ?

Cette attitude est ridicule et elle n'a comme raison d'être que des conventions purement sociales ou des habitudes liées aux traditions.

Tous les régimes préconisent de faire un bon petit déjeuner. C'est le repas le plus important de la journée. Personnellement, manger le matin au réveil me rend malade. Ça me colle des nausées, jusqu'au vomissement. La nourriture me dégoûte. Pourquoi alors devrais-je absolument me forcer ? Simplement parce que de nombreux nutritionnistes soutiennent que c'est le repas le plus important de la journée ?

Si, effectivement, dans la matinée, j'ai un petit coup de fatigue ou une petite faim, ne suis-je pas capable à ce moment-là de prendre un encas équilibré que j'aurai préparé la veille ou le matin avant de partir travailler ? Je ne vais pas forcément être affamée, me trouver mal ou me jeter sur toutes les barres au chocolat qui traînent dans le coin.

Pensez que vous êtes dans une société de consommation, qu'il y aura toujours moyen de vous procurer à toute heure des produits que vous pourrez consommer sans prendre 15 kg à la première bouchée.

N'ayez jamais peur de manquer et ne mangez que lorsque vous avez faim !

« Ce que je mange le matin ne me fait pas grossir. »

Évidemment, tous les aliments consommés le matin vont être plus facilement éliminés que ceux que vous consommeriez le soir, cela en raison de l'activité que vous allez développer tout au long de la journée.

Mais il ne faut pas vous tromper. Si vous mangez une andouillette avec des frites, suivie d'une tartine de chocolat, même consommés le matin, ces aliments gras et sucrés vous feront automatiquement grossir. Il est clair que **tout est une question de proportion et d'équilibre alimentaire.**

L'avis du Dr Dukan

En ce qui concerne le concept de chrono nutrition proposé par le Dr Alain Delabos, ma position est claire et, le connaissant et l'appréciant en tant qu'homme, il sait ce que j'en pense.

Il est possible que le cycle du nycthémère jour/nuit puisse avoir une influence sur la vie hormonale mais pas plus que ce que pensent les astronomes de l'influence de la lune sur les marées et certainement pas ce que pensent les astrologues qui expliquent la personnalité, le passé et le futur par la position des étoiles. Ainsi, je ne partage pas du tout l'explication chronobiologique relative au moindre profit des aliments consommés au petit déjeuner. Je pense même l'inverse, après une nuit sans apport calorique, les cellules sont vides et tireront un profit maximum de ce qui sera consommé au petit déjeuner. On sait ainsi qu'une personne qui saute le repas de midi profitera à

plein du repas du soir. Quant au repas du soir, il n'a aucune raison de profiter davantage à l'organisme, sauf si la digestion se passe pendant le sommeil.
Quant à manger du camembert à volonté à midi, des glucides et des sucres à volonté à midi et manger le moins possible le soir, c'est déstructurer les repas et surtout ne pas tenir compte d'un fait sociologique de première importance : le repas du soir est le seul repas familial et se nourrir aussi peu est contraire à la convivialité et à l'équilibre familial. De plus, le soir est le seul moment de calme et de paix et surtout celui qui par son apport sensoriel permet de compléter la recette de satisfactions et de contentements que bien des personnes ne parviennent pas à récolter. Enfin et peut-être surtout, ce régime alimentaire ne débouche sur aucune stabilisation possible car je ne connais pas grand monde acceptant de se nourrir de produits gras le matin, de produits sucrés le midi et de se limiter au minimum le soir sur le long terme.

« L'aspartame est dangereux pour la santé. »

Il existe une vive polémique sur la question de savoir si l'aspartame est dangereux pour la santé, s'il est cancérigène.

L'aspartame est un édulcorant de synthèse avec un pourvoir sucrant environ deux cents fois supérieur à celui du saccharose. L'aspartame est un assemblage de deux acides aminés naturels, la phénylalanine et l'acide aspartique. On le retrouve dans la plupart des produits « light » ou hypocaloriques.

La plus grosse accusation qui pèse sur l'aspartame est d'augmenter le risque du cancer du cerveau. En effet, d'après plusieurs études américaines, la prise d'aspartame fait monter le taux de phénylalanine dans le sang. Or cette haute teneur en phénylalanine peut se concentrer dans des parties du cerveau. Concentrée en excès, la phénylalanine provoque des désordres émotionnels, voire, d'après ces mêmes études, le phénomène de mort neuronale.

Une étude italienne de 2005 (réalisée par la fondation Ramazzini à Bologne) a montré également une augmentation significative des cancers du cerveau chez des rats femelles exposés par voie orale à des doses croissantes d'aspartame.

Cependant, les études américaines ont aussi démontré que les patients atteints par les troubles décrits ci-dessus étaient des personnes qui avaient consommé chroniquement de l'aspartame.

Quant à l'étude italienne, il faut savoir tout d'abord que l'acide animé phénylalanine est métabolisé plus efficacement par les rongeurs que par les êtres humains. Ensuite, il est démontré que les chercheurs ont administré aux pauvres bêtes des doses massives d'aspartame, ce qui, comparativement, ne correspond pas à une consommation « normale » chez l'être humain. Enfin, l'Autorité Européenne de Sécurité Alimentaire (EFSA), puis l'Agence Française de Sécurité Sanitaire des Aliments (AFSSA) ont émis des doutes quant à la méthodologie de cette étude et quant à la fiabilité des résultats.

Compte tenu de ce qui précède, je pense qu'il convient de rester attentif aux évolutions de la recherche en la matière. Mais en attendant, rien n'est clairement démontré et je rappelle que la consommation d'aspartame n'apporte que 4 kcal/g ce qui, dans un régime amaigrissant, est à mon sens particulièrement important. De plus, si le doute persiste pour l'aspartame, d'autres édulcorants de synthèse tels que la saccharine semblent susciter beaucoup moins de critiques.

L'avis du Dr Dukan

Mon point de vue sur l'aspartame…
Tout ce qui a été expliqué ici est clair et précis mais il ressort de cette analyse qu'il resterait un doute et qu'il convient d'attendre pour se faire une idée. Je ne suis pas d'accord avec cette analyse. Toutes les méta-

analyses sont probantes : l'aspartame n'est non seulement pas un danger mais, personnellement, je trouve que son apport dans la lutte contre le surpoids et l'obésité est d'une importance cruciale et qu'à ce titre, il doit certainement à ce jour avoir sauvé un très grand nombre de vies. Au demeurant les préconisations des services de santé de tous les pays du monde préconisent son utilisation. En France, son usage n'est pas même suspect pendant la grossesse, véritable sanctuaire dont la protection est draconienne.

Quant à l'argument de l'entretien du goût et du besoin du sucré, il ne tient pas car, à ma connaissance, aucun régime n'a jamais éteint le goût du sucre qui, lorsqu'il préexistait au régime, revient systématiquement après. Je n'ai jamais rencontré d'amateur naturel de sucré perdre son attirance après un amaigrissement.

En conclusion, oui à l'aspartame, résolument !

« Dans la famille, on est tous gros. »

Qui n'a jamais eu ce sentiment d'injustice en voyant un ami, un collègue, bâfrer, bouffer, tout et n'importe quoi, sans prendre un gramme ?

Aujourd'hui encore, quand je vois mon collègue de la comptabilité s'engouffrer tous les midis deux pizzas, alors qu'il est maigre comme un clou, je suis vraiment dépitée et, quelque part... peut-être même envieuse.

Comme je vous l'ai déjà dit, nous sommes tous différents. Chacun va avoir des prédispositions différentes à prendre du poids. Nos parents nous transmettent des gènes qui vont ou non favoriser la prise de poids. C'est l'hérédité.

Certes, l'hérédité est un des facteurs de l'obésité, mais l'hérédité n'est pas l'obésité. L'obésité n'est pas une fatalité et ce n'est pas parce que vos parents sont obèses ou simplement ronds, que vous, vous le serez automatiquement. Le principal facteur de l'obésité, c'est l'hygiène de vie et les habitudes alimentaires.

Quand on parle d'hérédité, on parle aussi de cultures, de milieux différents. Or, à mon sens, il est plus difficile, sans discrimination aucune, d'échapper à l'obésité si l'on est né dans une famille pauvre originaire du Maghreb, que dans une famille riche japonaise. Tout simplement parce qu'il est plus facile de mieux manger quand on en a les moyens financiers et parce que la gastronomie japonaise est beaucoup plus diététique que la gastronomie maghrébine (sauf si vous voulez devenir sumo !).

Je maintiens que l'obésité, n'est pas une fatalité.

« Je fais deux heures de sport par semaine, et pourtant, je grossis. »

Je reviendrai dans le détail un peu plus tard sur le sport dans le cadre d'un amincissement.

Mais, d'emblée, il est faux de penser que le sport fait maigrir, dans le sens de perdre du poids. Certes, le fait de pratiquer une activité sportive va engendrer une dépense de calories, mais cette dernière ne se traduira pas forcément par une perte de poids.

Prenons un exemple :

Si vous faites trois heures de musculation, une fois par semaine, vous allez effectivement dépenser pas mal de calories (en fonction de votre sexe et de votre âge). Mais, surprise, le lendemain en vous pesant, vous avez pris 1,5 kg.

Vous avez brûlé des calories, mais vous avez pris du muscle. Et le muscle est plus lourd que la graisse. Votre séance de musculation ne se verra donc pas sur la balance, en termes de perte de poids, mais elle se traduira en perte de centimètres autour des cuisses ou des hanches. Vous aurez minci et non pas maigri.

Par ailleurs, pour qu'une séance sportive puisse aboutir à un amaigrissement, il convient impérativement qu'elle soit intégrée dans un régime alimentaire. Si vous faites deux heures de vélo, et que le soir, devant la télévision, vous vous goinfrez de gâteaux au chocolat, c'est comme si vous n'aviez rien fait.

Notre société de consommation…

Mon régime a bouleversé ma vie mais il m'a permis aussi d'ouvrir les yeux sur le véritable piège tendu par notre société de consommation à tous ceux qui ont tendance à prendre du poids.

Ce piège, je l'analyse sous deux aspects…

— Dans un premier temps, la société de consommation fait tout pour « fabriquer » des obèses.

— Dans un deuxième temps, la société de consommation fait tout pour que ces obèses ne maigrissent pas.

Et pourquoi fait-elle ça ? Simplement parce que le marché de l'amaigrissement est un excellent filon, un marché particulièrement juteux, « une pompe à fric ».

Notre société de consommation fait tout pour fabriquer des obèses.

Cet aspect est très bien développé par M. Daniel Rigaud dans son ouvrage *L'Obésité* (Édition Les Essentiels Milan).

Ce professeur de nutrition et spécialiste des troubles du comportement alimentaire attire notre attention sur trois facteurs qui favorisent l'obésité.

▶ Le premier d'entre eux est la poussée de sédentarité. Notre société fabrique de l'obésité dans le sens où elle ne cesse d'améliorer notre confort, ce qui a pour conséquence directe une baisse de nos dépenses énergétiques.

▶ Le deuxième facteur rejoint directement le premier. La société met aujourd'hui à notre disposition de nombreux outils et machines destinés à nous faciliter la vie. Qui aujourd'hui ne prend pas sa voiture pour aller faire des courses ? Le développement de toute cette mécanisation aboutit inéluctablement à une baisse de notre activité physique.

▶ Le troisième facteur est à mon sens le plus révélateur du rôle que joue la société dans la fabrication d'obèses.

C'est notre marché de l'alimentaire. Aujourd'hui, vous pouvez trouver une gamme infinie de produits alimentaires, n'importe quand, et souvent à petits prix. D'ailleurs, les produits diététiques sont souvent plus chers que les produits gras ou sucrés. Monsieur Rigaud remarque que « les gens pauvres en France ne sont pas plus maigres, mais plus gros que les riches ».

Nous sommes également cernés par la publicité sur les produits alimentaires. Monsieur Rigaud parle aussi d'une « offre publicitaire hallucinante ». Vous ne pouvez pas allumer votre télévision à 19 h 30 sans tomber au minimum sur un spot pour un plat préparé, un autre pour un soda et enfin un dernier sur le bonbon qui vous rappelle toute votre enfance.

Les publicitaires n'ont pas leur pareil pour vous faire croire que vous serez un champion si vous mangez ce type de céréales, que vous ferez le plein d'énergie en consommant cette barre de chocolat ou encore que vous ne consommerez que des produits sains en vous rendant dans ce fast-food. Les publicitaires savent créer le besoin d'essayer le dernier hamburger micro-ondable. Ces dernières années, les publicitaires jouent même la carte du « bon pour la santé ». Telle margarine vous fera baisser votre taux de cholestérol, tel produit laitier vous aidera à renforcer vos défenses naturelles ou encore cette huile est pleine d'oméga 3.

L'avis du Dr Dukan

La description des causes du surpoids par Chris est classique. Elle explique que l'on grossit de trop manger et de ne pas assez bouger. Si cette explication n'est que celle du comment on grossit, voici celle qui importe seule : Pourquoi grossit-on ? Pourquoi mange-t-on au-delà de ses besoins nutritionnels et pourquoi ne bouge-t-on pas ou pas assez ?

La réponse, j'y ai si souvent pensé au cours de ces trente-cinq ans passés à voir vivre, grossir et maigrir des personnes en surpoids. Cette réponse, je l'ai cernée et traquée jusqu'à ce que je l'obtienne. J'ai aujourd'hui la ferme conviction que l'individu actuel ne vit pas la vie pour laquelle il a et il reste fait. Notre programmation a vu le jour à la naissance de notre espèce, le *Sapiens Sapiens*, voilà près de 50 000 ans. Nous sommes nés dans un contexte, un climat, un environnement, une faune et une flore particulière et nous sommes le fruit d'une interaction entre l'espèce qui nous précédait et le milieu ambiant. Depuis ce jour, notre génétique d'espèce n'a pas bougé et un nourrisson de l'époque placé aujourd'hui à New York deviendrait un parfait Américain. Or entre ce pourquoi nous étions faits et ce que nous vivons aujourd'hui, il y a un monde qui s'est constitué progressivement et, à chaque innovation, chaque progrès, il a fallu que nous nous adaptions. Aujourd'hui, nous avons atteint les limites de nos possibilités d'adaptation et c'est paradoxalement le moment où il nous est demandé de faire face au plus grand déferlement d'adaptation que l'espèce a connu.

De plus en plus de personnes ne parviennent plus à suivre cette évolution et souffrent de ne plus pouvoir trouver dans leur environnement les occasions de s'épanouir, tout en étant confrontées à un surcroît inquiétant de nouveaux stress.

Toutes ces raisons se conjuguent pour frapper les personnes les plus vulnérables. Et la grande majorité d'entre elles cherchent et trouvent dans l'aliment un complément de plaisir, de contentement et de tolérance au stress qui rend la vie plus « vivable » mais qui a l'inconvénient de faire grossir.

Pour moi, le surpoids est un marqueur d'insuffisance d'épanouissement ; c'est ce qui explique pourquoi, pour la seule France, la moitié des adultes sont en surpoids médical. Le surpoids, une maladie conjoncturelle du bonheur…

Il y a bien eu une prise de conscience par notre société de cette opulence alimentaire et des conséquences que cette surconsommation engendre. Depuis 2001, les gouvernements successifs se sont attelés à mettre en place des « programmes nationaux de nutrition santé » avec, comme objectif clair, la lutte contre l'obésité.

Vous savez, ce programme national de nutrition santé, c'est ce joli petit message qui apparaît désormais en bas de tous les spots publicitaire « mangerbouger.fr ».

En résumé, ce PNNS s'articule autour de deux axes fondamentaux :

— Dispenser aux gens suffisamment d'informations pour les amener à consommer mieux,

— Inciter les gens à pratiquer davantage d'activités physiques.

L'avis du Dr Dukan

Certes, on ne peut que saluer cette initiative. Mais, tous ces efforts sont encore bien insuffisants pour voir diminuer les chiffres de l'obésité.
Le PNNS est un programme d'information généraliste fondé sur le nectar absolu de la conception énergétique du surpoids (on grossit de trop manger et de ne pas assez bouger). D'accord ! Et alors, quand on sait cela, que doit-on faire ? C'est là que le bât blesse. Il y a un monde entre savoir et faire. Oui, la majorité des Français connaissent désormais cette fameuse règle des cinq fruits et légumes que l'on fait passer en boucle partout depuis plus de cinq années. Les Français en mangent-ils davantage ? La preuve n'est pas faite. En tout cas, le PNNS a été contemporain d'un fait scientifique irréfutable, depuis qu'il a été mis en place : la prévalence du surpoids en France a augmenté plus vite que dans les cinq années précédant sa mise en place.

Face au surpoids, il y a trois types d'intervenants :

— Les tenants de l'académisme nutritionnellement correct et de la conception purement énergétique du surpoids.
Il s'agit soit de médecins, bien souvent des universitaires, experts en expériences de laboratoire et tout aussi souvent des administrateurs ou des politiques qui prolongent leurs discours.
— Il y a aussi les marchands de rêve qui vendent du vent, du sensationnel, du marketing et de la publicité, des non-médecins, hommes d'affaires ne recherchant que le profit.
— Enfin, il y a les médecins de terrain, ceux qui sont en première ligne face à la demande de personnes en souffrance et qui accumulent de l'expérience et de la connaissance.

Il serait opportun que l'on modère l'ardeur des marchands de rêve et leur territoire de chalandise et surtout que l'on intègre les praticiens de terrain expérimentés dans les instances de décisions et les mesures pratiques à prendre pour organiser la lutte contre le surpoids.

Que faudrait-il faire dès lors pour organiser une lutte plus efficace contre l'obésité ?

Je ne suis pas magicienne et, évidemment, je ne vais pas vous sortir de mon chapeau LA solution pour éradiquer définitivement l'obésité. Je n'ai pas non plus la prétention d'avoir de meilleures idées que tous ces spécialistes qui se sont penchés sur cet épineux problème jusqu'à présent.

Mais simplement, pourquoi ne pas :

— Intégrer réellement dans le cursus scolaire, au même plan que la biologie par exemple, un programme de nutrition. Il convient d'aller plus loin qu'une simple éducation des enfants, comme le préconise le PNNS. Une semaine du goût par an, une mise à disposition en milieu scolaire de documents d'information ou quelques cours disparates au collège restent insuffisants.

— Mettre en place une campagne de sensibilisation sur les régimes amaigrissants, sur leur pratique, sur leur indispensable personnalisation auprès de médecins et diététiciens compétents et respectueux.

Notre société de consommation fait tout pour que les obèses ne maigrissent pas.

Comment notre société de consommation empêche-t-elle les gens de maigrir ?

La réponse est toute simple : elle noie le consommateur sous un raz-de-marée d'informations, parfois erronées, souvent contradictoires.

C'est l'occasion de pousser un gros coup de gueule sur tout le flot d'informations qui circulent sur les régimes, sur les différentes méthodes pour perdre du poids.

Vous avez d'abord le produit miracle...

« Mesdames et Messieurs, aujourd'hui pour seulement 8,99 euros, procurez-vous le sachet de méga pilules hyper amaigrissantes, rajeunissantes, antirides et kifélekafé en cinq minutes chrono.

Vous aurez perdu 6 kg en deux jours et votre conjoint ne vous reconnaîtra plus. Cette pilule, au goût de fraise, de menthe et de malabar, agit dès la première prise, jour et nuit. Elle atténue la cellulite, retend la peau et améliore votre transit. »

Le problème est que ma description n'est pas très éloignée de la réalité. J'exagère à peine !

Ce genre de publicité et, *a fortiori*, le produit que vous achetez derrière, ont plusieurs effets néfastes.

▶ Le premier est de plumer votre portefeuille. Ayez un jour la curiosité de parcourir le rayon « amaigrissant » d'une parapharmacie et faites rapidement le calcul d'une cure de trois mois d'un produit amincissant. À raison de 30 à 50 euros la cure d'un mois, vous vous en sortez facilement pour 100 à 150 euros. Or, maigrir coûte déjà suffisamment cher comme ça pour éviter d'investir dans des produits dont l'efficacité est plus que douteuse.

▶ Le deuxième effet est justement l'inefficacité du produit. Et je peux vous dire que j'en ai essayé des cures amaigrissantes ! Certes, on ne peut nier tout de même que certaines vont faciliter le drainage, vous aider à brûler les graisses, mais jamais si vous les utilisez en dehors d'un régime alimentaire, et/ou si vous ne les utilisez pas le plus régulièrement possible.

▶ Le troisième effet pervers de ces produits miracles, et à mon sens le plus grave des trois, c'est l'espoir que vous fondez de maigrir en achetant ces produits et la déception que vous ressentez lorsque vous en constatez l'inefficacité. Cette déception favorise inévitablement le découragement de l'envie de maigrir.

Vous avez ensuite la méga tonne de magazines qui traitent des kilos superflus, en particulier dès l'arrivée du printemps, pour être belle cet été sur la plage, et après Noël pour éliminer les dégâts des fêtes.

Je n'ai jamais réussi à trouver dans la presse féminine un sujet traitant de l'obésité massive, expliquant comment perdre beaucoup, avec des règles de diététique simples. Jamais je n'ai vu dans un magazine une « vraie » grosse qui pose en couverture. Ah oui, j'oubliais, l'inesthétisme n'est pas vendeur !

Tous les journaux parlent d'une perte de 5 à 10 kg en un mois. Quand une star perd 10 kg, c'est le bout d'un monde ! Jamais vous n'aurez comme titre : perdez 50 kg rapidement et apprenez à ne pas les reprendre !

Si un jour vous trouvez un article sur des obèses sévères, ce sera dans un journal non pas qualifié de « féminin », mais « médicalisé ». Vous aurez des photos prises de telle sorte qu'on ne verra jamais vraiment les bourrelets et les rondeurs. Jamais vous ne verrez l'obésité mise à nu, parce que c'est moche, que ça fait peur et que ça ne rentre pas dans les critères de marketing et de publicité qui sont développés aujourd'hui.

Toute cette publicité aboutit à une méconnaissance d'une véritable méthode pour maigrir, à une totale désinformation. Je dis « une » véritable méthode, parce qu'il existe des tas de méthodes efficaces pour maigrir. Mais je le répète encore une fois, l'une des clés du succès d'un régime, c'est de choisir la méthode qui vous conviendra et qui collera vraiment à votre personnalité.

Un changement de comportement alimentaire...

La première chose qui m'a permis de tenir mon régime, c'est d'avoir lu le livre *Maigrir sans régime* du célèbre médecin Jean-Philippe Zermati.

Bien que je n'adhère pas à son principe de base qui est de maigrir sans régime, cela n'étant pas valable, à mon sens, pour les personnes en surpoids, je suis entièrement convaincue que la réussite d'un amaigrissement réside en grande partie dans le fait de bien se connaître pour mieux changer, et dans le fait de changer son comportement alimentaire en distinguant la faim de l'envie de manger.

L'avis du Dr Dukan

J'ai un vieux contentieux avec le Dr Zermati et le Dr Apfeldorfer, deux médecins intelligents et respectables mais dont les positions dogmatiques se révèlent catastrophiques dans la lutte contre le surpoids. Comment cela peut-il être possible ?
Pour une raison simple : tous deux ont un profil et une perspective professionnelle d'ordre psychiatrique ou psychanalytique. Ils sont probablement habitués à exercer

leur art auprès de patientes et patients sujets à des troubles du comportement alimentaire sévères et ils redoutent légitimement les effets de la restriction sur les personnes aussi vulnérables que les patients qu'ils reçoivent. Et, dans cette perspective, leur point de vue est parfaitement justifié. Mais, leur erreur est de prendre la partie pour le tout et, s'il existe des cas de comportements alimentaires psychiatriques, ils sont rares et appliquer une telle conception aux 20 millions de personnes en surpoids en France est plus qu'une erreur, c'est une faute.

Bien se connaître pour bien maigrir et donc changer, c'est pour moi le fait de choisir un régime qui va s'adapter à sa personnalité. J'irai même plus loin. On ne peut maigrir qu'individuellement.

Chacun d'entre nous est différent. Nous avons tous une histoire personnelle, une manière de vivre, une culture et une personnalité différente. On ne peut pas tous suivre les mêmes consignes. On ne peut pas tous rentrer dans le même moule de la nutrition et les « vrais » nutritionnistes sont ceux qui adaptent les préceptes diététiques à leur patient.

Pourquoi y a-t-il tant d'échecs quand on parle d'amaigrissement ? Parce qu'il existe trop de régimes standardisés. La clé de la réussite d'un régime, c'est son individualisation, son adaptation à la personne. Si pour certains, la clé de la réussite, c'est de suivre le régime machin, plutôt que le régime truc, pourquoi pas ?

Je suis d'une nature profondément impatiente. Il me fallait donc un régime qui m'assure dès le départ une perte rapide. Les régimes hypocaloriques que j'ai suivis ne m'assurant pas cette perte rapide, ils se sont soldés inévitablement par des échecs. N'ayant pas obtenu des résultats probants rapidement, ma motivation s'est effritée et j'ai arrêté.

Pourquoi ai-je réussi ce régime hyper protéiné formidable ? Parce qu'il correspondait précisément à mes attentes, et rien de plus. Il m'assurait juste de perdre rapidement du poids.

Avant donc de commencer quoi que ce soit, il faut que vous trouviez LE régime qui vous conviendra, en tenant compte de votre rythme de vie, de vos goûts et de votre personnalité.

Posez-vous ces quelques questions essentielles :

— Est-ce que j'ai besoin et envie de maigrir ?

— Si oui, combien dois-je perdre ?

— Quelles sont mes attentes d'un régime ?

— Ce régime sera-t-il compatible avec mon état de santé ?

Ces questions sont le strict minimum avant de choisir une méthode d'amincissement et leurs réponses doivent être le strict reflet de vos réflexions.

Il n'est vraiment pas aisé de se connaître soi-même en quelques questions comme ça. C'est la raison pour laquelle, conscients que beaucoup de gens n'arrivent pas à maigrir durablement, une équipe de médecins, sous la direction du Dr Dukan, a mis en place un concept novateur afin de multiplier les chances de succès d'un régime : le livre de mon poids.

Il s'agit de la rédaction d'une feuille de route permettant d'adapter sa méthode et son régime à chaque cas. C'est le concept d'une analyse individuelle pour maigrir durablement. Vous commencerez par répondre à un questionnaire de 154 questions. Toutes les réponses seront analysées par les médecins. L'équipe médicale rédigera l'analyse en fonction de vos réponses et vous recevrez ensuite VOTRE livre.

Vous avez alors en main, selon les termes du Dr Dukan, *« une analyse scientifique des raisons de son surpoids pour les corriger, et maigrir avec les meilleures chances de ne plus regrossir »*.

Changer son comportement alimentaire et ses relations aux aliments est le second aspect primordial de la réussite d'un régime.

Il est primordial de parvenir à distinguer la faim de l'envie de manger. Il faut savoir que lorsque l'on mange n'importe quoi, n'importe comment, n'importe quand, on ne sait plus si c'est par faim réellement ou si c'est simplement parce que l'on a envie de manger.

Avant de débuter mon régime, il fallait donc que je redécouvre cette sensation de faim, que je l'identifie clairement, pour mieux l'utiliser ensuite et résister à ce qui n'était pas de la faim.

J'ai donc tenté cette petite expérience :

Sur une journée, je me suis fixé deux repas. Celui de midi et celui du soir. Quoi qu'il arrive, je ne devais rien manger entre ces deux repas. Je m'étais aussi préparé les repas à l'avance, pour pouvoir passer à table le plus rapidement possible.

8 h 00 au lever : rien, dégoût de la nourriture.

10 h 00 : je commençais à avoir l'estomac qui gronde.

11 h 00 : l'estomac se tord, et fait des bruits terribles.

12 h 00 : un peu mal au ventre et fatiguée. Je pourrais manger tout et n'importe quoi.

12 h 15 : je passe à table.

Je commence par une entrée de crudités : plus mal au ventre, moins fatiguée, mais encore faim.

Plat principal : steak haché, pommes de terre. Je suis bien. J'ai la sensation d'avoir bien mangé, d'être calée. Je peux bouger facilement.

Fromage : un bout de camembert.

Dessert : une part de flan : là, j'ai l'estomac lourd. Je peux bouger, mais j'ai plus de mal.

15 h 00 : je suis devant la télévision. Je mangerais bien un petit truc. Je ne sais pas quoi exactement, mais quelque chose de sucré de préférence. Gâteau, chocolat. Je suis bien, pas mal au ventre, pas fatiguée, reposée, mais cette idée de manger quelque chose de sucré per-

siste. Je me souviens que j'ai un paquet de pains au chocolat dans le placard. J'ai aussi des gâteaux d'apéritif dans le buffet. Ces pensées m'obsèdent. Je ne suis même plus le film tellement j'ai envie de sucre. Je suis nerveuse, j'ai les mains moites, je tourne en rond. Je souffle. Non, ce n'est pas possible, je ne vais quand même pas craquer.

16 h 00 : coup de téléphone. C'est ma copine qui est partie sur Lyon. On a bien papoté une heure.

La conversation terminée, il faut que j'aille rechercher mon fils chez mes beaux-parents. Je saute dans la voiture et file retrouver mon bonhomme.

18 h 00 : je recommence à avoir l'estomac qui se noue. J'ai mauvaise haleine et la bouche pâteuse. Je suis dans la voiture avec à l'arrière mon babillant petit garçon.

18 h 45 : j'ai l'estomac qui crie et je suis fatiguée.

19 h 00 : je passe à table.

On commande des pizzas. Je prends la grande quatre fromages. Je l'adore. Arrivée aux trois quarts de la pizza, je me sens un peu lourde. Mais bon, rien de méchant. Devant la télé, je grignote au fur et à mesure ce qui reste de la pizza.

Je ne bouge plus.

22 h 00 : j'ai de nouveau envie de remanger un petit truc sucré. Une petite glace, pourquoi pas ? Je n'ai pas mal, mais j'ai un peu l'estomac qui gargouille et l'idée de glace me taraude. De la même manière que cet après-midi. Mais je ne craque pas et vais me coucher.

L'expérience terminée, je l'ai calmement analysée et j'en ai tiré des principes particulièrement instructifs et qui m'aideront dans toute ma phase d'amaigrissement.

— Quand je ressens des « douleurs » d'estomac, que j'ai la bouche sèche, une mauvaise haleine, et une fatigue, j'ai faim. En dehors de ces cas, je n'ai pas faim, j'ai envie de manger.

— Quand j'ai mangé, que je me sens calée, sans avoir l'impression d'être lourde, je n'ai plus faim. J'ai juste encore envie de manger.

— Mon envie de manger se matérialise par des idées fixes, répétitives, obsessionnelles : ce sont des compulsions alimentaires. Ces compulsions étaient renforcées par le fait que je savais que j'avais, dans mes placards, les produits dont j'avais envie.

— L'après-midi de mon test, j'ai eu une terrible envie de manger des gâteaux d'apéritif. Et puis le téléphone a sonné. Mon attention a été détournée, je n'y ai plus pensé, et je n'ai pas eu mal à l'estomac, j'étais bien, alors même que je n'avais pas mangé de gâteaux.

— Le soir, j'ai grignoté, sans m'en rendre compte, le quart restant de la pizza. Je n'avais pas faim, mais je n'ai pas fait tellement attention à ce que je mangeais.

— Mon envie de glace du soir, c'est le même cas que mon envie de gâteaux d'apéritif de l'après-midi.

De cette expérience, j'ai donc tiré les principes suivants :

— Distinguer la faim de mon envie de manger,

— Toujours me demander si j'ai encore faim,

— Quand j'ai envie de manger, utiliser n'importe quel moyen pour détourner mon attention,

— Éviter les tentations inutiles : avoir chez moi le moins d'aliments sur lesquels je suis susceptible de craquer.

Distinguer la faim de l'envie de manger n'est pas chose aisée.

C'est quoi la sensation de faim ?

Médicalement et psychologiquement, la sensation de faim correspond à une diminution des taux de sucre et d'insuline dans le sang et à une augmentation du taux d'acides gras. Des neurones spécialisés captent ces modifications sanguines et les transmettent au cerveau. Celui-ci déclenche alors les processus de recherche et de prise de nourriture. Les aliments ont un pouvoir rassasiant, c'est-à-dire qu'ils provoquent la fin de la faim. Un état de satiété s'ensuit généralement, ce qui permet d'attendre le repas suivant. Concrètement, comment la faim va-t-elle se manifester ?

Le Dr Shelton, instigateur du régime dissocié (ou régime Shelton, c'est-à-dire de la pratique alimentaire consistant à ne pas mélanger les aliments entre eux), dans son ouvrage *Food Combining Made Easy* décrit très clairement ces symptômes de la faim, ce qu'il appelle « la vraie faim », et fait la distinction avec les symptômes de ce qu'il nomme « la fausse faim », c'est-à-dire des douleurs provoquées par d'autres maux (nervosité, anxiété).

« Pour comprendre ce qu'est la vraie faim, voyons ce qu'elle n'est pas, avant de chercher ce qu'elle est », précise le Dr Shelton.

Selon lui, en faisant le parallèle avec les symptômes qu'éprouvent les drogués quand ils sont privés de leur poison, ces symptômes de la vraie et de la fausse faim se résument comme suit :

SYMPTÔMES DE LA VRAIE FAIM	SYMPTÔMES DE LA FAUSSE FAIM
L'estomac se creuse.	Mal de tête.
L'esprit est optimiste, clair et joyeux.	Gargouillements. L'esprit est déprimé, vaseux.
La faim persiste quand on attend.	Tiraillements, nausée. La faim disparaît quand on attend.

Sans remettre en cause quoi que ce soit de la théorie du Dr Shelton, je pense tout de même que l'on ne peut pas classer définitivement les symptômes de la faim dans une catégorie ou dans l'autre et que ce classement va dépendre des caractéristiques, du caractère, de la personnalité de chacun. La sensation de faim va varier d'une personne à l'autre, simplement parce que chaque personne est différente. Je ne rentre volontairement pas non plus dans les différences pathologiques, d'âge, de sexe ou d'activités.

J'ai pu lire de nombreux témoignages à ce sujet : certaines personnes décrivent leur sensation de faim de manière complètement différente.

« Coffixe » (c'est le pseudo utilisé par cette jeune femme) parle de « sentiment de vide intérieur avec un besoin impératif de manger ».

« Poucinette » parle quant à elle d'« une chaleur au niveau du ventre qui remonte par l'œsophage et aussi comme si son ventre allait se contracter… »

Pour apprendre ou réapprendre à reconnaître sa sensation de faim, je pense qu'il faut faire sa propre expérience, comme je l'ai faite moi-même.

Vous connaissez maintenant la sensation de faim, qu'est-ce alors que l'envie de manger ?

Selon moi, l'envie de manger peut prendre plusieurs formes.

▶ La forme la plus anodine : c'est l'envie qui va nous passer par la tête un court moment et qui va disparaître très vite. Cette forme anodine d'envie, c'est ce fameux petit goût « de reviens-y ». C'est ce petit quelque chose qui fait qu'on en reprendrait bien. On est dans une situation évidemment où l'on n'a pas faim du tout mais, par gourmandise, on se jetterait volontiers sur un autre petit chocolat ou un autre gâteau.

▶ La forme intermédiaire de l'envie est déjà beaucoup plus vicieuse. Là, l'idée n'est plus passagère, mais va rester dans votre tête jusqu'au moment où l'objet de l'envie va disparaître. C'est le cas courant où quelqu'un à côté de vous va manger quelque chose qui, pour vous, est complètement interdit.

Visualisez la scène : vous êtes au restaurant avec des collègues. Vous commandez une grillade avec de la salade. Tous autour de vous commandent viande en sauce et frites. Pendant tout le repas, vos yeux sont fixés sur les frites de vos collègues. Vous avez une force intérieure qui vous pousse à piquer une frite à votre collaborateur. Cette envie va être d'autant plus décuplée que l'objet de votre envie est en accès libre, c'est-à-dire par exemple si le plat de frites se trouve au milieu de la table.

Et puis, dès que vos collègues ont fini leur plat, ou dès que le plat de frites a été enlevé par le serveur, votre envie s'estompe, pour disparaître totalement lorsque vous quittez le restaurant.

Cette forme d'envie est difficile à gérer et c'est là que vous devez avoir le plus de volonté pour résister. Il n'y a pas d'autre moyen pour lutter contre cette envie : QUE LA VOLONTÉ.

▸ La forme la plus terrible de l'envie, c'est la compulsion alimentaire. C'est une envie irrésistible. L'idée de manger ce gâteau ou ce chocolat vous taraude l'esprit, ne vous quitte plus. Vous ne pensez qu'à ça, et à plus rien d'autre. La compulsion se caractérise par le fait de manger tout et n'importe quoi, sans raison apparente, sans faim évidemment, et sur des périodes plus ou moins longues.

Il est particulièrement difficile de lutter contre ces compulsions. Lorsque je résistais à une compulsion alimentaire, ça se traduisait et ça se traduit toujours malheureusement par une frustration, un mal-être profond. Ne pas céder me met toujours particulièrement de mauvaise humeur. Il me faut, dès lors, trouver un dérivatif.

L'avis du Dr Dukan

Faim de nutritif et faim de sensations...
La faim nutritive, c'est celle qui oblige le corps et sa direction cérébrale à aller chercher l'aliment et l'énergie nécessaire pour lui permettre de survivre. Cette faim conduit tout simplement à trouver du carburant pour ne pas tomber en panne.
Une autre faim consiste à chercher un objet de gratification dont la mise en bouche et l'absorption déclenchent des sensations gustatives, olfactives, masticatoires capables de parvenir dans les centres limbiques pour en fabriquer des sensations de plaisir. Et ce plaisir est utilisé de deux manières.
Soit à fabriquer de l'épanouissement, de la qualité de vie, du contentement capables d'entretenir l'envie de vivre au maximum.
Soit, et c'est par cette voie que cette faim nous concerne ici particulièrement, le plaisir issu de la mise en bouche va servir à NEUTRALISER le déplaisir, le malaise, l'anxiété, l'insatisfaction que certains individus vulnérables ne peuvent plus tolérer. Lorsque l'aliment devient une gomme à effacer la souffrance, nul doute que cela se répercute sur le poids et fait grossir.
La question est : pourquoi 20 millions de personnes en France grossissent alors que l'on pourrait penser que ce malaise ne concerne qu'une proportion limitée de personnes ? Parce que l'on méconnaît l'importance de l'adaptation nécessaire à un être humain pour vivre dans le cadre de vie actuel si éloigné du modèle pour lequel nous sommes faits. Nous vivons tous immergés dans le même bain qui, de ce fait, nous paraît normal, mais nous ne possédons pas tous la même architecture affective permettant de le tolérer. D'autre part, le recours à l'aliment de compensation n'est pas la ligne de fuite générale – certains compensent grâce à la famille, la sexualité, le pouvoir, le jeu, l'art ou la spiritualité – mais la plus simple, la plus facile, et probablement la plus puissante.

Chapitre 6

LE RÉGIME DUKAN

Il fallait que je maigrisse, à tout prix. Mais comment ?

Toutes les méthodes que j'avais essayées s'étaient soldées par un échec et puis, je voulais maigrir en ayant certains principes directeurs :

— Perdre beaucoup,

— Rapidement,

— Durablement,

— Je ne voulais pas non plus m'embrouiller l'esprit à compter ou à peser les aliments.

Je voulais juste quelque chose de simple, rapide et efficace.

La solution m'a été donnée par le Net.

J'ai découvert sur Internet un forum de discussion particulièrement intéressant, « doctissimo.fr ». Je l'avais découvert au moment où mon mari et moi-même souhaitions avoir un enfant. J'avais tapé « désir d'enfant » et le moteur de recherche m'avait dirigée directement vers le forum Rose Fuxia de Doctissimo. Je me souviens avoir lu des témoignages bouleversants sur des filles qui venaient de tomber enceintes et avaient décidé de l'annoncer à leur conjoint et à leurs parents. Bizarrement, je n'ai pas beaucoup participé au forum « désir d'enfant » et « grossesse ». Je me suis tournée vers les témoignages de filles dans le même cas que moi, pour y lire leurs aventures et mésaventures.

Le fait à cette époque de ne plus travailler m'a facilité les choses et j'ai pu passer de longues heures sur Internet.

J'ai commencé à m'intéresser à l'onglet vert pâle « surpoids et obésité » suite aux réflexions déplacées de ma gynécologue sur le test « O' Sullivan ». J'étais tellement stressée et triste à ce moment-là que j'ai laissé un message terrible intitulé « Vexation ». J'avais obtenu pas mal de réponses de soutien. Le fait d'avoir posté sur le forum m'a beaucoup aidée à surmonter cette épreuve.

Je suis retournée sur le forum à la fin de ma grossesse. J'ai été intriguée de voir de nombreux messages intitulés « Dukan » et Dudu. Je me suis alors lancée. J'ai laissé ce message :

« Bonjour à tous,

Je suis presque nouvelle sur le forum. Pouvez-vous me dire ce qu'est Dukan, SVP ? »

C'est Esioc qui m'a répondu. La reine du forum. À l'époque, elle avait comme avatar (petit signe distinctif associé au pseudonyme) un portrait d'elle de profil, avec une jolie petite couronne décorée sur la tête. Je ne parvenais pas à la distinguer clairement sur cette photo.

Esioc m'a souhaité la bienvenue sur le forum, m'a expliqué en quelques mots ce qu'était le régime du Dr Dukan et m'a donné des liens pour avoir plus d'informations. À la lecture des messages d'Esioc, transparaissait un vent d'humour et de sympathie. J'étais charmée par tous les petits smileys qu'elle utilisait pour traduire ses sentiments de manière précise.

C'était sûr, je reviendrais plus souvent la retrouver sur le forum. Mais, pour l'heure, ma curiosité avait été particulièrement aiguisée par ce régime Dukan.

Esioc m'avait transmis le scan de quelques pages du livre du Dr Dukan *Je ne sais pas maigrir*, expliquant les principes de base du régime. Dukan est un régime utilisant une base d'aliments riches dans des phases d'alternance avec et sans légumes, réalisé en plusieurs phases mais où tous les aliments, 100 en tout, étaient autorisés « à volonté ».

Ma curiosité avait été particulièrement attisée par ces quelques pages. Maintenant, il me fallait tout savoir, tout connaître de ce régime. Il était désormais essentiel d'avoir l'ensemble de ces informations pour maigrir vite et bien. Même si je n'avais lu que quelques extraits de l'ouvrage du Dr Dukan, j'étais déjà convaincue que ce régime était fait pour moi.

J'avais donc très vite commandé le livre par Internet. Je me souviens des quelques jours qui ont séparé ma commande de la réception. Ma motivation augmentait. Je fondais tous mes espoirs, mes attentes, sur ces quelques feuilles de papier. Quinze mille questions me traversaient l'esprit. Et si je ne le tenais pas, comme tous les autres ? Et si ça ne marchait pas sur moi ?

Enfin un petit paquet dans ma boîte aux lettres. C'était un petit livre de poche d'une cinquantaine de pages. Sur la couverture blanche, un mètre et une balance. *Je ne sais pas maigrir*. Je ne le savais pas encore, mais ce petit bouquin allait changer ma vie.

Je me suis installée dans mon lit, bien calée entre les deux oreillers. J'avais pris soin de préparer à côté de moi une feuille blanche posée sur une bande dessinée et un stylo.

Plus je lisais, plus j'étais motivée. Dukan collait parfaitement à ma personnalité. J'ai dévoré le livre en un après-midi.

Le Dr Dukan commence dans son ouvrage par exposer les principes de base de la nutrition. Il explique les règles de diététique essentielles avec une telle clarté qu'à la fin de son chapitre vous possédez déjà les quelques notions primordiales pour ne plus tomber dans les pièges tendus par notre société de consommation.

D'emblée, vous savez que :

— Le corps dépense beaucoup plus d'énergie en digérant les protéines. En simplifiant à l'extrême, on maigrit lorsque l'on mange des protéines.

— Les lipides correspondent aux graisses et les glucides aux sucres. Lipides et glucides sont donc à bannir autant que possible. Cependant, les supprimer en totalité est impossible, car ils sont présents dans presque tous les aliments.

— Pour apprécier la teneur calorique d'un produit, il faut regarder sur l'étiquette du produit les lipides, les glucides et la valeur énergétique totale. Il faut être vigilant, également, au poids du produit en l'appliquant à la valeur énergétique.

Sur l'étiquette, vous avez généralement une valeur énergétique pour 100 g alors que le produit pèse 300 ou 350 g !

C'est le seul aspect « mathématique » du régime. Ce n'est pas très fastidieux. Et si une allergique à tout ce qui peut se rapprocher d'un chiffre comme moi a pu y arriver, n'importe qui en est capable.

Le Dr Dukan décrit ainsi ensuite les quatre phases de son régime :

PHASE 1 : L'ATTAQUE

« Une phase d'attaque menée avec les protéines pures, qui permet un démarrage foudroyant. »

C'est la phase de protéines pures : pendant trois, cinq, sept ou dix selon l'objectif voulu, on consomme à volonté des aliments à forte teneur en protéines.

Au cours de cette période dont la durée peut varier entre un à dix jours, vous aurez droit pour vous nourrir aux huit catégories d'aliments qui vont suivre.

Dans ces huit catégories, vous pourrez consommer autant d'aliments qu'il vous plaira, sans aucune limitation et quelle que soit l'heure de la journée. Je vous conseille cependant de respecter au maximum les heures des repas. Cela vous permet de garder une hygiène de vie, de continuer à manger en famille, avec des amis ou des collègues et de faciliter ensuite un passage à la stabilisation.

Vous aurez aussi la liberté de mélanger ces aliments entre eux.

- Les viandes maigres : veau, bœuf, cheval, sauf l'entrecôte et la côte de bœuf, grillées ou rôties sans matières grasses,
- Les abats : foie, rognon et langue de veau et de bœuf,
- Tous les poissons, gras, maigres, bleus, blancs, crus ou cuits,
- Tous les fruits de mer,
- Toute la volaille, sauf le canard et sans peau,
- Jambon maigre, tranches de dinde, poulet et porc maigre,
- Les œufs,
- Les laitages maigres (ceux aux fruits sont limités),
- 2 l d'eau (boissons light autorisées),
- Adjuvants, café, thé, tisanes, vinaigre, aromates, herbes, épices, cornichons, citron (pas en boisson), sel et moutarde (avec modération).

En dehors de ces adjuvants et de ces huit catégories, RIEN D'AUTRE.

Cette phase de démarrage rapide assure une perte de poids conséquente.

PHASE 2 : LA PHASE DE CROISIÈRE

« Une phase de croisière conduite avec le régime des protéines alternatives, qui permet d'atteindre d'une traite et sans pause le poids choisi. »

Conserver tous les aliments autorisés dans le régime d'attaque protéines pures et ajouter les légumes crus ou cuits, sans restriction de quantité, de mélange ou d'horaire : tomates, concombres, radis, épinards, asperges, poireaux, haricots verts, choux, céleri, champignons, fenouil, salade, blettes, endives, aubergines, courgettes, poivrons, et même les carottes et les betteraves à condition de ne pas en manger à tous les repas.

On alternera les phases « protéines pures » (PP) et « protéines + légumes » (PL) jusqu'à obtention du poids désiré (1 kg de perte maximum par semaine).

— Pour une perte inférieure à 10 kg on alterne trois jours PP et trois jours PL.

— Pour une perte supérieure à 10 kg on alterne cinq jours PP et cinq jours PL.

PHASE 3 : LA PHASE DE CONSOLIDATION

« Un régime de consolidation du poids obtenu, destiné à prévenir le phénomène du rebond qui veut qu'après toute perte de poids, le corps a tendance à reprendre ce poids perdu avec une extrême facilité, période de haute vulnérabilité dont la durée est très précisément de dix jours pour chaque kilo perdu. »

Il s'agit de consolider les résultats tout en revenant progressivement à une alimentation normale. Le challenge : éviter le fameux « effet rebond », c'est-à-dire une prise de poids double après une période de restriction.

La durée de ce régime de transition se calcule en fonction du poids perdu, sur la base de dix jours du nouveau régime par kilo perdu. Ainsi, si vous venez de perdre 20 kg, il vous faudra donc le suivre pendant vingt fois dix jours, soit deux cents jours.

Pendant toute la durée de cette consolidation du poids, vous aurez droit aux aliments suivants :

- Les aliments de la période d'attaque,
- Les légumes du régime croisière,
- 1 portion de fruits par jour sauf banane, cerise et raisin,
- 2 tranches de pain complet par jour,
- 40 g de fromage affiné,
- 2 portions de féculents par semaine,
- Gigot d'agneau et rôti de porc (filet).

Et pour couronner le tout :
2 repas de gala par semaine.
Mais de manière impérative et incontournable :

- 1 jour de protéines pures par semaine (le jeudi).

On peut consommer en permanence et à volonté les protéines et légumes autorisés durant les phases précédentes ; les aliments interdits sont quant à eux réintroduits progressivement.

PHASE 4 : LA PHASE DE STABILISATION DÉFINITIVE

« Une stabilisation définitive reposant sur la conservation à vie d'un jour de protéines pures par semaine. »

Comme son nom l'indique, il s'agit de stabiliser son poids. On mange normalement ; le Dr Dukan impose cependant deux règles :
— Une journée protéinée par semaine, le jeudi précisément,
— Trois cuillères à soupe de son d'avoine par jour, pour leur apport en fibres solubles.
La durée de cette phase ?... À vie !

Le Dr Dukan poursuit son ouvrage sur la pratique de son régime, dans des conditions particulières, telles que la grossesse, la ménopause ou l'adolescence. Il le conclut en nous donnant de nombreuses recettes.

Tout en indiquant la méthodologie de son régime, le Dr Dukan agrémente son ouvrage de cas concrets, d'anecdotes. En plus d'une méthode, simple et claire, ce livre vous apporte aussi une première idée sur la pratique concrète de ce régime.

Vous savez qu'en pratiquant Dukan, vous allez perdre du poids très rapidement, que vous ne serez JAMAIS affamé, que vous n'aurez pas besoin de calculer les calories ou de compter ce que vous mangez, et que vous garderez ce plaisir de cuisiner.

Mais vous savez aussi qu'en pratiquant Dukan, comme pour les autres régimes d'ailleurs, vous n'aurez pas le droit au moindre écart, ce dernier se payant *cash* sur la balance et que vous serez contraint à une période de stabilisation en fonction de votre poids perdu.

C'était donc décidé, j'allais adopter ce régime du Dr Dukan qui me ferait maigrir, j'en étais certaine. Je le débuterais dès la fin de mon allaitement.

Maintenant que j'avais fait mon choix, il fallait que je mette mes proches au courant, et ce pour deux raisons :

Dukan impose tout d'abord une certaine manière de manger. Ce n'est pas conventionnel. On mange hyper protéiné et non pas équilibré. Tous auraient été étonnés et m'auraient posé mille questions. Il valait mieux que j'expose les choses clairement dès le départ.

Ensuite, à mon avis, il est primordial, quel que soit le régime d'ailleurs, que l'entourage soit présent et aide le « régimeur » dans son entreprise. Et, sur ce point, on peut dire que j'ai eu énormément de chance.

J'ai commencé à parler de Dukan à Olivier.

Nous revenions de courses un samedi après-midi et j'ai abordé le sujet, très rapidement dans la conversation, un peu comme arrive un cheveu sur la soupe.

« Chéri, j'ai décidé de commencer un régime vraiment particulier. Il s'agit d'un régime hyper protéiné. D'après ce que j'ai lu, c'est super rapide et efficace. Mais je vais manger de manière particulière. Je te demande vraiment de me laisser faire ce que je veux.

— Oui ? Pas de problème, si tu veux. »

Mon mari avait l'air dépité et dubitatif. Je suis sûre qu'il pensait : « Un de plus. » Il avait déjà été tellement spectateur de mes nombreuses tentatives suivies d'autant d'échecs. Que pouvait-il penser d'autre ?

Olivier n'a pas été très curieux tout de suite. Il s'est intéressé à Dukan beaucoup plus lorsque j'ai commencé :

« Alors, tu ne vas manger que de la viande, du poisson, des œufs et des laitages à 0 % pendant dix jours ?

— Oui, c'est ma phase d'attaque. Dix jours c'est le maximum, mais je veux frapper un grand coup.

— Tous les aliments autorisés sont en quantité illimitée ?

— Oui, c'est ce que le Dr Dukan préconise. Mais je ne veux pas manger toute la journée. Je veux essayer de garder des repas à heures fixes. Ça me semble quand même important.

— Tu ne vas même pas manger de légumes ou de fruits pendant dix jours ?

— Non.

— Et après ?

— J'alternerai cinq jours de protéines pures et cinq jours de protéines avec des légumes, mais pas de fruits.

— Mais tu vas faire ça pendant combien de temps ?

— Jusqu'au moment où j'aurai atteint mon objectif : 75 kg.

— Et t'en as pour longtemps ?

— Je ne sais pas, on verra. »

Au début du régime, mon mari a cherché désespérément à connaître mon poids. Mais inutile de vous dire que, mon poids, c'était **LE** sujet tabou. Je l'ai dissimulé, caché comme le plus précieux des secrets. Je m'enfermais dans la salle de bains chaque fois que je montais sur la balance. Je planquais tous mes examens médicaux sur lesquels il apparaissait. À part mon médecin, personne n'était au courant de ces trois terribles chiffres : 1.1.9.

Nous avions dès lors conclu un marché : il ne serait informé de ma perte et par la force des choses de mon poids de départ que le jour où j'atteindrais mon objectif.

Olivier m'a énormément soutenue pendant toute ma phase d'amaigrissement. Le soutien passe par des compliments, des encouragements, mais aussi par le fait de m'avoir supportée dans les moments où le régime pèse sur le caractère. En d'autres mots, il m'a supportée quand j'étais pénible, irritable, insupportable.

Et ça, c'est aussi une preuve d'amour.

Je l'ai ensuite annoncé à mes parents et à mes beaux-parents et, là encore, j'ai eu énormément de soutien de part et d'autre. Il suffisait juste que je leur dise si j'étais en PP ou en PL, et j'avais un menu spécialement concocté pour moi. Et ça, c'est vraiment formidable.

Je ne me suis rien autorisé. Pas de dérogation. Pour les fêtes de Noël, en décembre 2005, mon menu était le suivant :

Plateau de fruits de mer
Terrine de poulet aux foies de volaille et morilles
Petits gâteaux Dukan arôme vanille et coco

Si parents et beaux-parents m'ont aidée de la sorte, c'est aussi parce qu'ils ont été sensibilisés à mes problèmes de poids, après avoir assisté à une de mes crises : « Je suis grosse, moche et je ne me supporte plus. » D'habitude, ce n'est pas du tout mon style d'étaler mon mal-être comme ça en public. Je suis plutôt du genre à taper ma crise à Olivier ou à pleurer jusqu'à pas d'heure sous ma couette. Mais là, nous étions tous en famille. J'étais enceinte jusqu'aux yeux et je me souviens que, comme toujours, je mangeais de bon appétit. J'ai oublié comment la conversation s'était arrêtée sur ma prise de poids pendant la grossesse et sur la nécessité de mon amaigrissement futur. Toujours est-il que la discussion a dégénéré, que, comme toujours quand on abordait ce sujet, je me suis vexée et j'ai claqué la porte, en leur disant qu'ils ne comprenaient rien à rien et que j'en avais plein le dos de toutes leurs réflexions. J'ai attrapé le plus rapidement possible mon manteau, et suis sortie dans la rue.

Imaginez un peu le tableau : une grosse dondon, enceinte jusqu'aux yeux, qui pleure comme une madeleine, en remontant la petite rue bordée de platanes d'un quartier cossu et le tout poursuivie par son mari, essayant tant bien que mal de la convaincre de revenir à table.

Olivier et moi avons passé plus d'une heure dans cette allée, adossés à ces arbres, moi pleurant dans le creux de son épaule, lui me répétant que nous allions avoir un beau bébé, que j'allais maigrir après l'accouchement, que j'avais pris encore une fois la mouche pour rien.

J'ai eu beaucoup de mal à rentrer et à retrouver tout le monde. Tous ont eu la délicatesse de ne pas revenir sur le sujet, mais je suis sûre que ma crise a marqué les esprits.

Seule ma belle-maman a fait allusion une fois à ce triste épisode, mais bien plus tard, avec beaucoup d'humour, et surtout une fois que j'avais considérablement maigri.

Parmi mes proches, seule ma sœur a émis des doutes quant à ce régime. Ça faisait presque deux mois alors que je faisais Dukan et j'avais perdu déjà presque 20 kg.

Nous étions tous attablés. Grand dîner, sauf pour moi, qui en protéines pures, me contentai des deux escalopes de poulet. C'est à ce moment que ma sœur m'a interpellée :

« Mais tu ne vas manger que ça ?

— Non, si j'ai encore faim, je mangerai du surimi.

— Eh, mais fais gaffe, t'as aucun apport de vitamines. Tu ne manges pas de légumes et pas de fruits.

— Pas de fruits, mais les légumes, j'en mangerai quand je repasserai en PL dans trois jours. »

Je sentais bien l'air dubitatif de ma petite sœur. Elle se faisait du souci pour moi et j'avais même bien senti qu'elle n'était pas la seule. Même si elle me suivait, ma mère s'inquiétait également pour moi. Ce fut l'occasion de m'engouffrer dans cette brèche, et d'expliquer en public, pour la première fois, ce que je ressentais vraiment par rapport à mon poids et à mon physique :

« Si je fais ce régime, c'est pour en finir définitivement avec ce poids que je ne supporte plus. Je ne me supporte plus. Vous m'avez regardée ? J'ai envie de changer. Alors je vous demande de me laisser faire ce que je veux. J'ai déjà perdu 19 kg, et je ne veux pas m'arrêter là. J'en ai encore beaucoup à perdre. »

Ces quelques mots ont jeté un froid de quelques minutes. Puis ma sœur a repris :

« D'accord, mais je veux être sûre que tu ne mettes pas ta santé en danger.

— Ne t'inquiète pas, je suis scrupuleusement toutes les prescriptions de ce régime, je suis suivie médicalement et je fais très régulièrement des prises de sang. »

La conversation s'est terminée comme ça, un peu en eau de boudin.

Les amis et les collègues : je leur ai expliqué Dukan, mais vraiment avec parcimonie.

Pourquoi avec parcimonie ?

La première raison est que je ne voulais pas mettre tout le monde au courant de mon régime, tous mes précédents essais s'étant soldés par des échecs.

Il est bien plus facile de ne pas en parler, de faire son régime et que les autres le découvrent ensuite, que de l'annoncer à tout le monde, de ne pas tenir le régime, et ensuite d'avoir pour perpétuelle question : « Ah, au fait, t'en es où dans ton régime ? » C'est le genre de truc qui m'énerve profondément, et je ne voulais me mettre aucune pression supplémentaire.

La seconde raison, ce sont tous ces préjugés que j'évoquais tout à l'heure. Le régime Dukan étant quelque part anticonformiste face au monde de la diététique et de la nutrition, je ne voulais pas, d'une part, avoir à expliquer quinze mille fois les mêmes choses à quinze mille personnes différentes et, d'autre part, je voulais m'exposer le moins possible aux réflexions qu'engendrerait forcément cet anticonformisme.

Comment ai-je fait dès lors pour présenter les principes de mon régime ?

Mes amis n'ont été avertis que lorsque nous étions amenés à avoir un repas ensemble.

Il faut quand même dire la vérité sur ce point. Les premiers mois, j'ai refusé bon nombre d'invitations en prenant n'importe quel prétexte fallacieux pour ne pas y aller. Surtout les premiers temps, je me sentais fragile et je voulais m'exposer le moins possible aux différentes tentations.

Le premier repas avec des amis, c'est moi qui l'ai organisé, chez nous, au bout de quatre mois de régime. C'était avec les copains d'Olivier, tous de bons mangeurs. Quand ils débarquent à la maison, il faut prévoir généralement en quantité.

Ce soir-là, j'avais donc préparé pour toute cette joyeuse compagnie une assiette texane. Je m'étais inspirée de ces immenses assiettes que prépare un célèbre restaurant. J'avais préparé pour chacun une entrecôte, des manchons de poulet marinés et du chili con carne, le tout accompagné de pommes de terre.

En ce qui me concerne, je m'étais préparé l'assiette texane, mais Dukan. Elle était composée d'une bavette (accompagnée d'échalotes), de poulet tex mex et d'un peu de chili Dukan. Évidemment, sans pomme de terre. Nos menus étaient très proches, mais le nombre de calories contenu dans les assiettes n'avait rien à voir ! J'étais là avec eux, mon menu n'attirait pas particulièrement l'attention et la convivialité était la même.

Lorsque j'ai constaté comment j'avais réussi à passer une aussi bonne soirée tout en maintenant mon régime, sans être frustrée par ce que mangeaient les autres, et même sans être tentée, ça m'a rassurée et m'a donné beaucoup de confiance en moi.

J'ai pu ainsi organiser d'autres soirées à la maison.

Les choses étaient plus délicates quand nous étions invités par nos amis pour un dîner. J'avais refusé les premiers mois, comme je l'ai dit, mais je ne pouvais pas continuer à refuser les invitations indéfiniment.

La première invitation que j'ai acceptée, c'était pour une soirée dansante organisée par l'entreprise d'une de mes meilleures copines, Magali. Ce qui m'avait incitée à accepter, c'était le fait que le repas se présentait sous forme d'un buffet. Par la force des choses, il était plus facile de m'y composer un menu Dukan.

Mais malgré tout, je restais angoissée. Et si, finalement, il n'y avait rien pour moi ? Et à quelle heure allait-on manger ? Pourrais-je tenir toute la soirée ? Est-ce que j'arriverais à me passer d'un petit verre de vin ?

C'est là que je me suis décidée, pour être sûre de ne pas craquer, à manger avant d'aller à cette soirée. Certes, il ne s'agissait pas de faire un vrai repas, pour être obligée de remanger une seconde fois ensuite, il s'agissait juste d'avoir l'estomac suffisamment calé, pour avoir la force de résister aux tentations qui allaient se présenter à moi.

Je me souviens que j'avais mangé quelques bâtons de surimi et une tranche de dinde.

La soirée était organisée dans un petit village à côté de Nancy. En rentrant dans la salle, décorée dans les tons de bordeaux et de vert, et avant même que nous soyons déshabillés, mon regard s'est porté immédiatement vers le buffet, pour voir si je pouvais manger quelque chose. Je fus rapidement soulagée en voyant que des œufs, du roast-beef froid et du saumon trônaient sur les tables recouvertes de grandes nappes blanches.

J'ai vraiment passé une excellente soirée. Nous avons dansé une bonne partie de la nuit, et je n'ai eu aucun souci à refuser le petit verre de blanc et de rouge que l'on m'a proposé. Cette soirée m'a mise en confiance et je n'ai plus jamais refusé d'invitations. Quand nous étions invités chez des amis, pour un repas, je leur expliquais mon régime et je leur disais simplement quoi me faire à manger. Cette attitude peut parfois choquer. Mais si ce sont de véritables amis, ils comprennent parfaitement ce que l'on fait et ils vous aident à le réaliser.

C'est ce qui s'est passé avec tous mes amis.

Expliquer mon régime à mes collègues a été beaucoup plus hasardeux.

J'ai commencé à retravailler en janvier 2006. J'étais à peu près à la moitié de ma phase d'amaigrissement. Étant la responsable juridique de l'entreprise, j'ai été conviée dès le premier jour à un repas d'affaires « de bienvenue ». Non seulement cette fois-là, j'étais en phase de protéines pures, mais en plus il n'y avait pratiquement rien de Dukan sur la carte de ce restaurant. Tout était gras et calorique. Il n'y avait que des grosses saucisses dégoulinantes de graisse et des potages aux pâtes.

La seule chose Dukan, c'était la viande grillée. J'ai donc commandé un faux-filet grillé.

Les différents directeurs de la boîte me regardaient les yeux écarquillés.

« Tu ne vas manger que ça ?

— Si, je suis un régime très particulier, à base de protéines. Ne faites pas attention. »

Le comble, c'est que j'ai été servie en dernier. Tout le monde avait son plat, sauf moi !

Ce premier repas a été assez difficile. J'avais bien attiré l'attention. Et en plus, comme je ne pouvais manger que ça et que je n'avais rien prévu par ailleurs, j'ai crevé littéralement de faim tout le reste de l'après-midi. Un vrai bonheur. Mais je pense que tous les directeurs ont bien compris ma démarche.

Tel n'a pas été le cas d'un de mes collègues.

Installée dans la cuisine de mon entreprise, j'avais au menu ce jour-là des bâtons de surimi, une boîte de filets de maquereaux au vin blanc et des sardines sans huile à la tomate. Dukan dans toute sa splendeur qui bouleverse toutes les idées reçues quant à la nutrition.

Quand ce collègue est entré dans la pièce, j'ai tout de suite compris que je ne pourrais pas manger tranquillement.

« Eh, mais qu'est-ce que tu manges là ?

— Surimi, maquereau et sardines.

— Ouh, c'est chimique comme nourriture, tu sais ce qu'il y a dedans ?

— Eh oh, tu me lâches s'il te plaît.

— Mais ce n'est pas du tout équilibré !

— Mais le but, ce n'est pas d'être équilibré, mais hyper protéiné. Alors maintenant, j'aimerais bien manger tranquillement.

— Ah ! »

Il est reparti, sans demander son reste, en bougonnant comme il le fait toujours. Qu'est-ce que ça pouvait bien lui faire que je mange de cette manière ?

Je n'ai pas à me justifier de la réussite de mon régime, ni de ma manière de manger. Qu'ils ne me croient pas, qu'est-ce que ça peut me faire ? Qu'ils pensent ce qu'ils veulent, je m'en contre fiche.

Chapitre 7

TOP DÉPART

J'ai commencé le régime Dukan le 5 septembre 2005, soit un peu plus de trois semaines après mon accouchement et je m'étais fixé plusieurs principes.

Mon régime serait scrupuleusement celui prescrit par le Dr Dukan, en éliminant d'office tous les produits « tolérés », à savoir les fromages à 3 % ou la crème à 5 % et la galette de son pendant ma phase d'attaque.

J'avais opté pour une phase d'attaque de dix jours. Mon obésité était telle que je ne voulais rien faire dans la demi-mesure.

J'avais décidé d'acheter des aliments dans chaque catégorie autorisée, qui seraient simples à utiliser. Il fallait dans un premier temps que j'apprenne à reconnaître les aliments du régime, que j'apprenne à pratiquer ce régime et que j'intègre tous ses mécanismes. Ça ne servait à rien que je me lance dans la grande cuisine sans savoir quels ingrédients je pourrais utiliser et sans maîtriser les quelques techniques de base de cuisson quand on cuisine sans graisse.

Ces préceptes étant ancrés profondément dans mon esprit, je pouvais me lancer.

Le Dr Dukan préconise dans son ouvrage de ne jamais manquer d'aliments nécessaires au régime. La première étape du régime allait être d'apprendre à faire des courses Dukan.

Je me suis rendue dans l'une des plus grandes surfaces commerciales de Metz. Je voulais être certaine de trouver tous les produits nécessaires à mon régime. Je peux vous dire que ces premières courses ont été les plus longues de toute ma vie. J'ai passé un temps absolument mémorable dans le magasin. Heureusement d'ailleurs qu'Alexandre a été l'enfant le plus adorable de la terre cette fois-là. Installé confortablement au fond de son cosy sur le caddie, sous sa petite couverture jaune, mon poussinou a roupillé tout le long de mon parcours initiatique dans cette grande surface.

« Alors, est-ce que j'ai le droit aux steaks hachés surgelés ? Euh.... Non, il faudrait qu'ils soient à 5 % de matières grasses. Bon, mais il y en a des frais. Combien j'en prends ? Est-ce que quatre pour la semaine, ce sera suffisant ?

Tiens, je pourrais aussi acheter de la volaille. Bon, de la dinde ou du poulet, mais je n'ai pas le droit au canard. Ah, est-ce que j'ai le droit aux manchons de poulet marinés à la créole ? Euh... Non, apparemment, c'est trop gras pour moi. »

Livre à la main, j'ai traîné dans un bon nombre de rayons à regarder ce que je pouvais manger, à scruter toutes les étiquettes, à lire toutes les compositions. Les commerçants et les clients qui ont remarqué mon petit jeu ont vraiment dû me prendre pour une cinglée.

Pourtant, cette étape de « découverte des aliments » est absolument indispensable. Cette éducation est importante, mais aussi particulièrement intéressante. Sur ce point, je rejoins les docteurs Jean-Michel Cohen et Patrick Serog dans leur ouvrage *Savoir manger, Le guide des aliments*. Ces nutritionnistes ont publié ce livre afin d'aider les consommateurs à bien choisir leurs aliments et afin de classer les produits en fonction de la valeur nutritionnelle. Il est d'une aide précieuse.

J'ai utilisé leur ouvrage en l'appliquant au régime Dukan, ce qui m'a toujours permis de choisir de préférence les aliments protéinés possédant la valeur nutritionnelle la plus faible. Pour les fruits de mer, je privilégie par exemple les huîtres (47 kcal/100 g) aux bulots (89 kcal/100 g). J'oriente mes choix vers les marques qui proposent les produits les moins caloriques. J'ai pu aussi constater avec stupeur les différences de valeurs énergétiques qu'il peut exister, pour le même poids, par exemple entre deux poissons fumés, deux marques de surimi et même deux marques de moutarde. Il s'agit vraiment de traquer les calories en observant à la loupe les étiquettes.

La première fois, mes courses Dukan m'ont pris trois longues heures. Je suis rentrée chez moi exténuée. J'avais dans mon frigo, pour une semaine :

— Quatre steaks hachés à 5 %, six escalopes de poulet et six de veau. En sous-vide, huit tranches de dinde aux herbes.

— Pour le poisson, j'ai acheté douze bâtons de surimi et un paquet d'ailes de raie.

— Comme fruits de mer, j'avais trouvé des noix de saintjacques.

— Des œufs. Pas plus de quatre par semaine, il était nécessaire que je surveille mon taux de cholestérol. J'avais juste pris un petit paquet de six œufs.

— Les laitages, à 0 % : un pot de fromage blanc à 0 % de matière grasse, une barquette de petits fromages blancs 0 % aromatisés à la vanille et un paquet de yaourts aromatisés vanille, coco et citron d'une grande marque qui vante une taille… fine.

Toutes ces emplettes ne furent pas suffisantes. Je me souviens être retournée acheter un paquet de yaourts, des boîtes de thon au naturel et quelques steaks hachés. Ces achats étant totalement différents de ce que j'avais pu faire précédemment, il aurait été surprenant que je trouve les bonnes proportions dès la première fois.

Par la suite, j'ai un peu tâtonné. J'ai varié les marques, changé les saveurs, utilisé des arômes et énormément d'épices. Le plus important était de ne pas arriver à un dégoût. Il fallait que je change mes menus régulièrement, et que je garde ce plaisir de cuisiner.

Faire les courses selon le régime Dukan m'a beaucoup appris, mais m'a aussi conduite à adopter un comportement radicalement différent au moment de faire les commissions.

Je changeais régulièrement de grande surface, mais dans chacune d'elles, mon parcours était clairement établi. Plus question de me perdre dans les méandres des rayons de chocolats ou de gâteaux d'apéritif. Plus question d'ouvrir un paquet de bonbons au début du ravitaillement.

Plus question non plus de faire les courses le ventre vide. Dans cette dernière hypothèse, vous vous mettez dans une situation piège, dans laquelle vous aurez beaucoup de mal à ne pas être tenté.

Imaginez-vous juste un moment. Il est 18 h 30, vous sortez du travail et votre frigo est vide. Pas le choix, il faut passer faire quelques emplettes. Mais, vous avez le ventre qui se tord, et une seule idée en tête, c'est de rentrer et de manger.

Imaginez-vous alors dans ce magasin, devant les étalages débordant de nourriture, humant les bonnes odeurs de pain chaud près de la boulangerie, ou celles de tartiflette du rayon « traiteur ». Vous risquez de craquer et de manger la demi-baguette prise pour Monsieur ce soir, de goûter un petit bout de pâté sur le présentoir de la boucherie, et d'acheter des « aliments » interdits qui vous feront succomber un peu plus tard à la maison.

Pour faire face à cette situation, vous n'avez pas beaucoup de solutions. Vous pouvez envoyer Monsieur faire les courses ou alors, vous pouvez toujours vous arranger pour grignoter un petit quelque chose, évidement Dukan ou hypocalorique, avant de vous lancer dans ce monde d'opulence et de tentations. Croyez-moi, avoir l'estomac calé un minimum vous permettra de ne pas craquer.

Faire un régime coûte cher. Je l'ai très vite constaté.

Le Dr Dukan fait un tout petit aparté dans son livre sur le prix des protéines. Il affirme effectivement que le prix de revient des aliments protéinés est relativement élevé, mais il n'apporte aucune autre précision. Il est difficile de lui en faire le reproche. Affirmer le caractère onéreux de son régime, c'est comme se tirer une balle dans le pied.

Dans mon caddie, je n'avais plus du tout de gâteaux, bonbons et autres cochonneries bourrées de sucres et de graisses. J'avais de la viande et des poissons maigres, en résumé, des produits beaucoup plus chers. J'ai vu une belle inflation sur le prix de mes courses. Mais je me suis vite consolée en me disant que, de toute manière, quel que soit le régime choisi, j'aurais dépensé de l'argent.

D'ailleurs, je me suis amusée à vous reproduire ci-dessous un petit sondage, presque dans son intégralité, effectué auprès d'internautes.

Le coût des régimes, du meilleur prix au plus mauvais

Plus la flèche est à gauche, plus le régime est onéreux.

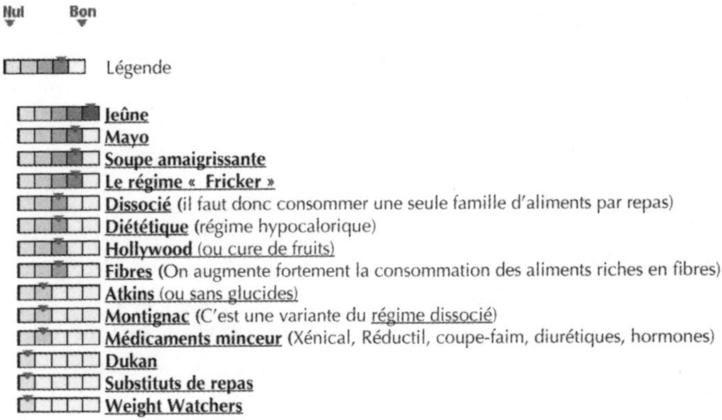

Nul Bon

Légende

Jeûne
Mayo
Soupe amaigrissante
Le régime « Fricker »
Dissocié (il faut donc consommer une seule famille d'aliments par repas)
Diététique (régime hypocalorique)
Hollywood (ou cure de fruits)
Fibres (On augmente fortement la consommation des aliments riches en fibres)
Atkins (ou sans glucides)
Montignac (C'est une variante du régime dissocié)
Médicaments minceur (Xénical, Réductil, coupe-faim, diurétiques, hormones)
Dukan
Substituts de repas
Weight Watchers

Aujourd'hui, nous le savons, beaucoup de personnes ne commencent pas un régime, simplement parce qu'elles n'en ont pas les moyens financiers.

Je me souviens d'une de mes collègues qui m'expliquait que son mari voulait essayer de perdre du poids par une diète protéinée. Malheureusement, elle lui avait demandé d'attendre quelques mois avant de débuter son régime, ce couple n'ayant pas la possibilité de débourser les cent euros de produits pour quinze jours de diète.

À l'inverse, certains font du coût du régime leur motivation pour maigrir. Qui n'a jamais entendu autour de lui : « Maintenant que j'ai payé les trois cents euros pour tel régime, je suis obligé d'aller au bout. »

Je trouve cette attitude ridicule : ce n'est pas parce qu'un régime coûte cher qu'il est efficace. De plus, un régime uniquement motivé par le fait d'avoir investi de l'argent est voué à l'échec. Une fois que le chèque a été encaissé et que les finances vont mieux, on n'y pense plus et on se lâche.

Au moins avec Dukan, j'ai peut-être investi de l'argent, mais ça a été drôlement efficace.

Concrètement, combien me coûte une semaine de régime Dukan ?

Pour le savoir, je me suis rendue dans une grande surface « qui vous change la vie », et j'ai simplement fait un relevé de prix. Pour une semaine de régime Dukan, en période de protéines et de légumes, j'ai donc acheté :

- Six steaks hachés à 5 % : **5,95 euros**
- Deux paquets de saumon fumé 1er prix : 2,10 euros × 2 = **4,20 euros**
- Une boîte de vingt œufs moyens : **3,05 euros**
- Un pot de fromage blanc 0 % 1er prix : **1,19 euro**
- Un paquet de six cuisses de poulet : **5,74 euros**
- Une barquette de six escalopes de poulet : **6,07 euros**
- Cinq barquettes sous vide d'émincés de poulet : 2,95 × 5 = **14,75 euros**

- Un paquet de son d'avoine : **4,45 euros**
- Un paquet de son de blé : **1,25 euro**
- Deux boîtes de thon au naturel : 1,78 euro × 2 = **3,56 euros**
- Deux boîtes de crevettes : 3,02 euros × 2 = **6,04 euros**
- Cinq boîtes de maquereaux au vin blanc : 1,97 euro × 5 = **9,85 euros**
- Une boîte de dix-huit surimis : **3,20 euros**
- Un paquet de douze yaourts 0 % aromatisés : **3,06 euros**
- Quatre paquets de tomates cerise : 1 euro × 4 = **4 euros**
- Deux paquets de laitue : 1 euro × 2 = **2 euros**
- Deux boîtes de haricots verts : 0,92 euro × 2 = **1,84 euro**
- Deux boîtes d'asperges blanches : 1,99 euro × 2 = **3,98 euros**

Total : environ 84,18 euros par semaine, soit pour un mois 336,72 euros.

Ce résultat doit être tempéré par le fait que l'on doit alterner les protéines pures et les protéines avec légumes. Mais ce chiffre donne, à mon sens, une bonne moyenne du coût total du régime Dukan.

Bien que les produits du régime Dukan soient onéreux, j'ai toujours réussi à manger Dukan. Ça aurait été un prétexte, un de plus, de dire que je n'avais pas les moyens de manger Dukan. Pas question de déroger pour des questions financières. Alors j'essayais toujours de trouver le bon plan pour moins dépenser.

▶ 1er bon plan : les discounts. J'y trouvais à moindre coût les légumes, mon fromage blanc à 0 %, mes œufs, le saumon fumé, les boîtes de thon, crevettes et maquereaux et tous les adjuvants dont parle Dukan également : moutarde, cornichons, petits oignons. Pour le reste, il faut être particulièrement vigilant, car dans ce type de commerce, comme le souligne le Dr Cohen, les ingrédients des produits « hard discount » sont souvent plus gras et plus sucrés car moins chers.

▶ 2e bon plan : profitez des opérations commerciales « gros volumes ». Je privilégiais toujours ces coffrets familiaux et je congelais au fur et à mesure. C'est assez rentable. Cette solution me permettait de faire quelques économies, mais également de n'être jamais en panne d'aliments Dukan.

▶ 3e bon plan : profitez des sites « bons plans » du Net. Bien que, pour les produits Dukan, ce soit assez limité, on peut tout de même se procurer de nombreux bons de réduction.

L'avis du Dr Dukan

Le problème du coût du régime…
J'ai lu avec attention l'analyse méticuleuse de Chris mais, en conscience, je la trouve un peu déconnectée de la réalité quotidienne. Non pas qu'il n'existe pas des personnes pour qui le budget alimentaire ne soit parfois source d'inquiétude et de limitation mais, dans l'immense majorité, le coût des aliments n'est pas l'élément limitant d'un régime, pour preuve le budget consacré aux compléments alimentaires, aux soins cosmétiques. De plus, la période d'attaque ciblée sur les aliments riches en protéines est courte et, dès la phase de consolidation, une alimentation ouverte aux glucides, pâtes, légumineuses, pain et riz complets ramène le coût alimentaire aux normes standard. Enfin, même en phase de protéines pures, la viande hachée surgelée, les poissons et les fruits de mer surgelés, le thon en boîte au naturel, le maquereau au vin blanc, le poulet, les œufs, les laitages maigres ne sont pas des produits onéreux. Non, je ne crois pas que, pour des tout petits budgets, le coût de mon régime soit vraiment un handicap.

Un élément absolument essentiel allait m'accompagner pendant toute ma phase de régime : le pèse-personne.

J'ai longtemps considéré cette machine comme un objet de torture, à planquer sous le lavabo. J'avais employé tous les stratagèmes possibles et imaginables pour éviter de croiser son aiguille maléfique : la détruire en sautant à pieds joints dessus, l'oublier en la glissant sous le lit, la désactiver en oubliant de lui racheter des piles.

Mais non ! À chaque fois, Olivier, qui lui est un adepte des pesées, a toujours trouvé le moyen de la réintégrer dans la salle de bains.

Si je voulais pouvoir suivre mon amaigrissement de manière objective, pas le choix : il fallait que je fasse ami-ami avec cet engin. Désormais, la balance ne serait plus mon ennemie, mais ma copine de tous les jours… ou presque !

J'ai donc commencé par aller m'en racheter une. Je craignais que l'ancienne, qui avait subi tous mes assauts, n'ait plus sa précision d'antan. J'ai donc couru au premier magasin high tech de pèse-personne. J'ai acheté ce qui allait devenir la partenaire de mon combat, ma TEFAL 79227, électronique, argent, avec un grand plateau ergonomique, une position naturelle des pieds autour du centre évidé, des galbes épousant la voûte plantaire, une stabilité et un confort parfaits, une mise en marche automatique en montant sur le plateau, un affichage instantané du poids, et une graduation pour 100 g, et une portée de 130 kg. Et le tout pour 49,99 euros !

Il est important d'avoir un bon appareil pour éviter d'avoir des mauvaises surprises.

Je me souviens qu'une de nos copines du forum avait raconté comment après avoir perdu plus de 20 kg et être arrivée à ce qu'elle croyait être 60 kg, elle avait voulu, juste pour le « fun » monter sur une balance dans sa pharmacie préférée. Mais là, quelle ne fut pas sa surprise quand le chiffre affiché n'était pas 60 kg, mais 69 kg.

Cette « forumeuse » racontait ensuite qu'elle avait récupéré la vieille balance de sa mère, qu'elle n'en avait jamais utilisé une autre et que, malheureusement, elle n'avait jamais douté de sa précision. Ma copine était complètement anéantie par cette horrible découverte, qui impliquait inévitablement pour elle plusieurs choses :

— En premier lieu, de changer de balance !

— Ensuite de prendre conscience qu'elle avait commencé le régime avec presque 10 kg de plus ; et ça, psychologiquement, je ne vous raconte pas le coup que vous devez prendre dans les naseaux.

— Enfin la phase d'amaigrissement n'étant pas encore terminée (compte tenu de l'IMC), elle devait reprendre le régime et remettre la stabilisation à plus tard. Là, si le coup dans les naseaux ne vous a pas déjà tué, cette nouvelle vous enterre.

J'avais bien pensé à cette histoire de précision de balance quand j'ai commencé mon régime. La simple idée de me retrouver dans la même situation que cette fille me faisait dresser les poils sur les bras. Je ne m'étais donc pas limitée à acheter une nouvelle balance. J'avais vérifié, chez mes parents et beaux-parents, que mon poids était à peu près identique.

Même si cela paraît un peu fou, je conseillerai à ceux qui veulent entamer un régime de faire la même chose que moi. Cela leur évitera de se retrouver dans la situation de mon amie.

Une fois le bon outil installé dans la salle de bains, il fallait que je l'utilise à bon escient. Pas question d'être obnubilée par la balance, de ne penser qu'à mon poids et de gaver tout le monde autour de moi avec ça. Une autre de mes copines était tellement devenue « accro » à cette machine qu'elle avait lassé tout son entourage et qu'elle passait pour une folle. Elle en était arrivée à un point où elle se pesait avant et après chaque repas, et avant et après chaque séance de sport : une véritable obsession !

Cette attitude est à proscrire absolument. Il faut savoir que le poids varie naturellement, surtout en période prémenstruelle pour nous les femmes. Le poids varie également avant ou après les repas, et avant ou après une séance de sport. Si vous faites deux heures de tennis, vous allez perdre de l'eau, ce qui peut se traduire sur la balance par 2 ou 3 kg en moins. Mais ils seront repris dès le lendemain.

Si vous êtes « un ou une balance *addict* », changez de comportement immédiatement. Vous vous porterez bien mieux psychologiquement et socialement.

Mon jour de pesée, c'est le samedi matin, nue, à jeun et après être allée aux toilettes. D'ailleurs, ce rituel amusait beaucoup mon mari.

Pour essayer d'avoir des points de comparaison de manière objective, il faut toujours essayer de se peser dans les mêmes conditions. Bon, je ne nie pas avoir craqué plusieurs fois entre les samedis de pesée officielle ! C'est dur de résister à la tentation.

C'est tellement difficile de résister à l'appel de la balance que, sur le forum, les copines avaient mis en place un système de garderie. On plaçait virtuellement notre balance chez notre copine « Petite Chérie », et on s'engageait à venir la reprendre au bout d'une semaine pour la pesée officielle. Si on trichait (et qu'on voulait bien l'avouer sur le forum) Petite Chérie organisait un vote pour savoir quelle sanction allait être prise à notre encontre. Généralement, c'était le fait de mettre en ligne deux recettes de cuisine, ou de rédiger un petit poème. C'était un jeu où il était facile de tricher, je me livrais volontiers à ce petit jeu virtuel et, bien qu'il n'y ait aucun caractère obligatoire, ni aucun moyen de contrôle, ni de répression, psychologiquement, cette garderie m'aidait à tenir.

Quoi qu'il en soit, je préférais attendre le samedi suivant et être satisfaite du résultat, plutôt que de me peser plus vite et d'être déçue du résultat, parce qu'évidemment, entre deux samedis, la perte de poids est plus significative que d'un jour à l'autre.

L'avis du Dr Dukan

Personnellement, je suis radicalement pour la pesée quotidienne. D'abord pour se connaître et garder les yeux grands ouverts. Comment développer une vraie stratégie du maigrir sans connaître ses effets sur le marqueur direct et matériel de cette lutte ? Si se peser lorsque l'on grossit peut être cuisant et inamical, se peser lorsque l'on maigrit est gratifiant et de nature à entretenir la motivation à son plus haut niveau. Enfin, se peser c'est un état d'esprit conquérant indispensable lorsque l'on a déclaré la guerre à son poids.
Je constate chaque jour les méfaits d'une politique de l'autruche qui peut laisser le poids dériver très loin avant de s'en alarmer. Quant à l'argument de la pesée obsessionnelle, c'est une vieille rengaine inventée par les psys qui a fait infiniment plus de mal que de bien à la cause de la lutte contre le surpoids.

Un des gros stress pendant ma phase d'amaigrissement a été l'attente du résultat de **LA** première pesée.

La période de dix jours d'attaque terminée, ma balance argentée trônait au milieu du couloir, bien sous la lampe. Elle m'attendait. Quelle nouvelle allait-elle m'annoncer ? Une mauvaise, comme toutes les mauvaises nouvelles dont elle m'avait fait part ces dernières années ? Et si j'avais trop mangé pendant cette période d'attaque ? Si Dukan n'avait pas fonctionné de cette manière fulgurante dont il parle dans son bouquin ? J'avais l'estomac noué. Je soupirais, je transpirais.

J'ai pris mon courage à deux mains et j'ai glissé mes pieds sur le plateau et... **115 kg**. J'avais perdu 4 kg en dix jours ! J'étais scotchée ! Je n'avais jamais autant perdu en aussi peu de temps. Quand j'avais suivi mes régimes hypocaloriques, cela correspondait à peine au poids que j'avais perdu en un mois !

Je suis vite descendue de la balance, ma nouvelle meilleure copine, et j'ai sauté comme une petite folle dans le salon. YES... YES... YES... J'espère ce jour-là que personne ne m'a aperçue chez moi en train de sautiller sur un pied et de crier, parce que là, pour ces observateurs, j'étais bonne pour l'asile.

Le docteur Dukan avait raison, son régime marchait et c'était radical. J'étais gonflée à bloc, prête à tout pour continuer et faire céder ces blocs de graisse installés sur mes hanches depuis trop longtemps. J'y arriverais, quels que soient le temps et l'énergie que ça me prendrait, mais j'y arriverais !

L'avis du Dr Dukan

Ce que Chris évoque sous la formule YES YES YES est un concept apparemment inconnu des instances académiques qui gèrent à un niveau national, administratif, voire politique, la lutte contre le surpoids en France. C'est pourtant l'un des plus puissants moteurs de l'entreprise du maigrir individuel, celui qui va marquer une très grande partie du chemin qui mène au juste poids. Le fait, pour un obèse ou simplement un gros, de voir que, en quelques jours, il peut infliger une défaite cuisante à un adversaire qu'il pensait omnipotent est de nature à lui fournir l'assurance qui lui manquait. Désormais, il sait qu'il peut.

Le drame de la lutte institutionnelle contre le surpoids est de méconnaître ce travail de l'ombre et de privilégier la simple et seule équation énergétique du surpoids, une stratégie comptable qui oublie que, derrière les métabolismes, il y a un être de chair et de sang, des émotions, du ressenti, du vécu, de l'animal. L'homme n'est pas un ordinateur qui peut appliquer des règles comptables à ses apports et ses dépenses de calories. Des animaux de laboratoire peuvent y être assujettis, il suffit de remplir leurs mangeoires et de les obliger à bouger mais, pour faire accepter cette stratégie à un humain, il faut le convaincre, soit par de longs, de très longs discours, une prise en charge et un suivi, soit par l'éclosion de ce type de geyser émotionnel, une flambée de ce YES YES YES qui mobilise, en une fraction de seconde, l'essence de l'envie d'en découdre et de gagner.

Ma phase d'attaque terminée, j'ai enchaîné ensuite avec la première période de protéines légumes. Même pour les gens qui n'apprécient pas particulièrement les légumes, je peux vous assurer qu'après avoir passé dix jours à ne manger que des protéines, remanger une petite tomate cerise ou croquer dans un champignon donne l'impression de déguster un mets trois étoiles préparé par le plus grand des chefs cuisiniers.

C'était divin. J'ai pris un énorme plaisir à manger un simple plat de haricots verts nature, parsemés de persil et agrémentés de quelques tomates. Je pense même que c'était la première fois de ma vie que j'avais conscience de ce plaisir de déguster.

En savourant ces légumes, une chanson m'a traversé l'esprit et reflétait pleinement la situation, « L'Envie » de J.-J. Goldman.

Qu'on me donne l'obscurité puis la lumière
Qu'on me donne la faim la soif puis un festin
Qu'on m'enlève ce qui est vain et secondaire
Que je retrouve le prix de la vie… enfin !

On m'a trop donné bien avant l'envie
J'ai oublié les rêves et les merci
Toutes ces choses qui avaient un prix
Qui font l'envie de vivre et le désir
Et le plaisir aussi.
Qu'on me donne l'envie
L'envie d'avoir envie…
Qu'on allume ma vie !

Cette chanson… C'était moi, elle était faite pour moi. J'avais envie de retrouver le prix de ma vie… quitte à connaître un peu la faim et à ce qu'on m'enlève ce qui est vain et secondaire…

Chapitre 8

LE FORUM

Le forum « doctissimo », « docti » pour les intimes, a en quelque sorte changé ma vie. Je vous l'ai dit, je l'ai découvert d'abord par le biais de l'onglet « grossesse », avant de m'intéresser à la partie « surpoids et obésité ». Une couleur identifie un thème précis :

— Vert clair pour la nutrition,
— Rose pour la grossesse,
— Orange pour la forme et le sport,
— Bordeaux pour la beauté,
— Violet pour la psychologie,
— Rouge pour la sexualité,
— Bleu pour la santé en général.

Ce forum, c'est d'abord une mine d'informations.

Tout ce que j'ai voulu savoir, j'ai pu le trouver sur ce site. Pour tout ce qui touche de près ou de loin à la santé, « doctissimo » essaye d'avoir une explication simple, voire même une solution. J'ai tiré de ce forum toutes les solutions à mes problèmes.

La première réponse qui m'a été apportée par le forum, c'est celle liée à mon obésité. Souvenez-vous, c'est ma copine Esioc, sur le forum « surpoids et obésité », qui m'avait fait découvrir le régime Dukan en m'envoyant le scan de quelques pages de son bouquin.

Mais le forum m'a permis aussi d'acquérir toute la pratique liée au régime du Dr Dukan.

Chaque fois que j'avais une interrogation, je retrouvais mes homologues « dukaniens » sur le forum et je leur posais la question. Et qu'est-ce que j'ai pu poser comme questions ! J'étais une « régimeuse » particulièrement attentive et curieuse. Si j'avais le moindre doute quant à l'utilisation de tel ou tel aliment, ou sur un problème lié au régime, je préférais avoir l'avis de mes collègues « doctiniens ».

Il est clair qu'aujourd'hui, je maîtrise parfaitement le régime. Mais à l'époque où j'ai débuté Dukan, c'était loin d'être évident.

« Pensez-vous que le suivi de votre régime par un médecin est nécessaire ? »
« Médecin généraliste ou médecin spécialisé ? »

Un suivi médical est ABSOLUMENT INDISPENSABLE. Non seulement votre état de santé doit être compatible avec Dukan mais, en plus, comme les molécules de protéines sont grosses et difficiles à éliminer par l'organisme, il est impératif de faire des prises de sang régulièrement pour vérifier le fonctionnement de vos reins.

C'est mon médecin généraliste qui m'a suivie pendant toute ma période d'amaigrissement. Je me souviens parfaitement de cette visite chez le Dr Philippe K., quelques jours après la fin de ma phase d'attaque.

Je n'avais qu'une crainte quand je l'ai consulté, celle qu'il refuse que je suive le régime Dukan et qu'il me prescrive le traditionnel régime hypocalorique. Si j'avais essuyé un tel refus, je l'aurais immédiatement abandonné et serais partie à la recherche d'un autre médecin.

Mais il n'en a rien été. Le Dr K., quadragénaire, un peu dégarni, immense et ultra mince, s'est montré particulièrement ouvert à ma demande. Il ne connaissait pas du tout Dukan. J'avais le livre à la main et nous l'avons parcouru pendant plus d'une heure.

Je profite d'ailleurs de l'occasion pour présenter mes plus humbles excuses à tous les patients qui me succédaient ce jour-là dans la salle d'attente !

Il était prêt à me suivre et à m'aider si j'avais des soucis avec ce régime. Il m'a dit :

« Faites ce que vous pensez être bon pour vous, Madame Girard. Je serai là quand vous aurez besoin de moi. On commencera par faire une prise de sang, et on en fera une tous les deux mois.

Je vous prescris également un apport vitaminé. C'est indispensable, vu l'absence de fruits et la faible quantité de légumes de votre régime. »

Quand je suis sortie de son cabinet, j'étais ultra motivée, mise en confiance et rassurée de son soutien médical.

« Ça fait trois semaines que je ne perds plus de poids. Vous auriez une solution pour casser ce palier ? »

Oui, il existe une solution particulièrement efficace pour relancer la perte de poids. Pour casser un palier (et uniquement dans ce but), il est conseillé de faire ce qu'on appelle « une journée blanche ». Il s'agit en fait de ne manger pendant toute une journée que des aliments blancs.

Cette journée, qui ne doit être faite qu'à titre exceptionnel, va relancer la perte de poids.

Une journée blanche peut être par exemple :

Matin

1 thé léger au lait ou café
1/2 galette (mélange de son de blé et de son d'avoine, avec un œuf)
100 g de fromage blanc 0 %

10 h (si vous avez faim)
1 yaourt nature 0 %
1 blanc de poulet

Midi

Filet de cabillaud aux herbes en papillote
et/ou escalope de dinde
150 g de faisselle 0 %

Goûter (si vous avez faim)

1/2 galette
Thé

Soir

Filet de poisson au court-bouillon
Omelette de blancs d'œufs
Yaourt nature 0 %

« Qu'est-ce que la cétose ou régime cétogène ? »

Un régime cétogène est un régime de déclenchement du processus de déstockage des graisses de réserve, en raison d'un faible apport de glucides.

Dans le régime riche en protéines du Dr Dukan, l'amaigrissement va être dû à une réaction naturelle, la cétose, que l'on suscite en fonctionnant momentanément en réduisant au minimum les apports en glucides ou en sucres. Le pancréas se met un peu au repos et notre corps fabrique moins d'insuline, puisqu'il a reçu au total moins de glucides. Ainsi, faute de glucose, notre corps n'a plus d'autre choix que de brûler les graisses de réserve, nos chers capitons. L'apparition de la cétonurie dans les urines, résultat de la destruction des graisses sous-cutanées, demande en général entre trois et cinq jours. Et la cétose ainsi créée est l'un des plus puissants coupe-faim connus.

Et tout en induisant la cétose, le régime Dukan permettra, en plus, par l'action des protéines, d'avoir une action coupe-faim et de protéger la masse musculaire.

Malheureusement, une des conséquences de la cétose est de provoquer une mauvaise haleine.

« Peut-on mâcher du chewing-gum pour masquer "l'haleine de poney" due à la cétose ? »

La plupart des chewing-gums contiennent du sorbitol, qui est un sucre à pénétration lente. Pour le Dr Dukan, il est possible de prendre des chewing-gums contenant du sorbitol mais en quantité limitée : cinq à dix dragées par jour.

L'avis du Dr Dukan

Les chewing-gums et mon régime...
C'est simple, je les autorise, purement et simplement car, non seulement, le fait de mâcher occupe la bouche et la rend inaccessible à un autre aliment, mais le simple fait de mastiquer a été analysé dans des études encadrées par des scientifiques qui ont prouvé qu'il facilitait le contrôle du poids. Enfin, les sucres et les calories des chewing-gums sans sucre sont métabolisés dans des circuits métaboliques très lents qui en écartent les inconvénients et les risques. Enfin, les techniques de fabrication et d'aromatisation des chewing-gums permettent aujourd'hui de proposer au public des friandises à mâcher au goût extrêmement plaisant. Donc oui aux chewing-gums. Essayez cependant de ne pas aller trop loin car ils ont un impact sur la motricité du colon et peuvent induire en quantité trop importante des diarrhées et des flatulences.

« Quel édulcorant utilisez-vous pour cuisiner ? »

Certains édulcorants ont une forte teneur en calories et beaucoup ne supportent pas la cuisson.

En glanant mes informations sur le forum, j'ai découvert un édulcorant qui ne présente pas ces inconvénients. Avec zéro calorie, ce produit se présente sous forme liquide ou en poudre et résiste à la cuisson. Si votre magasin préféré ne l'a pas dans ses stocks, la marque possède son site internet sur lequel à mon avis vous pourrez avoir toutes les informations utiles et notamment le point de distribution le plus proche.

L'avis du Dr Dukan

Pour moi, le meilleur édulcorant est l'aspartame car c'est celui qui, pour avoir été utilisé le plus grand nombre de fois depuis vingt ans, n'a jamais montré de faille. Il existe une polémique invraisemblable autour de cet aspartame qui est probablement entretenue par le lobby du sucre car TOUTES les études concernant ce produit, des milliers regroupées sous l'égide de la Commission européenne et la FDA et les instances sanitaires de TOUS les pays du monde, concluent à son innocuité. Il y a toujours eu des corbeaux, des cassandre, des initiateurs et des entreteneurs de rumeurs. Ce que je peux vous dire en conscience, c'est que, non seulement l'aspartame ne présente aucun danger ni risque pour la santé mais que, sans lui, il y aurait bien plus d'obèses et de gros sur terre aujourd'hui, dont certains ne seraient plus de ce monde. J'espère ne pas pouvoir être plus clair.

« Où trouvez-vous le son d'avoine et le son de blé, entrant dans la composition de la galette Dukan ? »

En remplacement du pain et éventuellement des gâteaux, le Dr Dukan propose de cuisiner une sorte de galette au son de blé et au son d'avoine.

Elle a été un allié précieux pendant toute ma phase d'amaigrissement en me permettant de combler mes terribles envies de pain. Elle m'aide encore beaucoup aujourd'hui et je la décline sous des formes aussi variées telles que des pizzas, des crêpes ou des wraps (sortes de paninis).

Le plus difficile dans la confection de la galette, c'est de se procurer les ingrédients. Je n'ai jamais réussi à trouver un seul sachet de son de blé ou de son d'avoine dans une grande surface traditionnelle. Comme il est hors de question de les remplacer par de la farine de blé ou des flocons d'avoine, il n'y a pas d'autre choix que de se procurer ces produits soit dans des espaces « bio », soit sur Internet.

L'avis du Dr Dukan

Aujourd'hui, Monoprix m'a demandé de lui permettre de créer sa marque distributeur. J'ai accepté car l'enseigne Monoprix est celle qui est la plus innovante. Mais il faut aussi comprendre que tous les sons ne se valent pas et que les études que j'ai menées sur l'efficacité nutritionnelle du son ont montré que la plupart des sons actuels sont des sons culinaires et que ce qui était recherché était, avant tout, la possibilité de le préparer pour en faire un porridge moelleux ou l'ajouter à du pain rustique. Or, pour l'utiliser dans le cadre de la perte de poids ou de la santé, il faut un autre son qui doit être fabriqué pour obtenir le meilleur impact médicinal, un son que j'appellerai nutritionnel. L'obtention d'un tel son d'avoine se réalise en jouant sur deux paramètres, la mouture, c'est-à-dire le broyage et donc la taille de la particule ou paillette de son et le blutage qui consiste, après broyage intégral, à séparer la farine blanche d'avoine riche en sucre et le son d'avoine riche en fibres de béta-glucanes et en protéines qui seuls nous intéressent ici. En équipe avec les ingénieurs agronomes finlandais, les études cliniques et les examens de coprologie fonctionnelle, nous avons défini un indice associant une mouture intermédiaire de grade plus, supérieure à l'intermédiaire standard et un blutage de sixième passage qui seul garantit un degré de pureté en son indispensable à l'action de déperdition des calories et du cholestérol. Monoprix est pour l'instant le seul à avoir intégré cet indice de fabrication. Attention, n'utilisez pas un son trop moulu et vous-même ne moulez pas le son que vous achetez car un son trop moulu ou de mouture trop fine est totalement inefficace.

« Vous êtes constipées ? »

Non, aucune constipation pour moi. Le régime a eu l'effet complètement inverse. Je ne sortais plus des toilettes. Et c'était pire quand j'avais à mon menu la fameuse galette aux deux sons, celle-ci ayant la propriété d'accélérer le transit puisque les fibres du son ne sont pas assimilées. Je buvais donc beaucoup d'eau pour bien m'hydrater et je limitais ma consommation de son quand je constatais que ma fréquentation aux toilettes augmentait.

Maintenant, il est vrai que, chez certaines personnes, le régime Dukan provoque des désordres intestinaux de cet ordre. Il est donc conseillé dans cette hypothèse de consommer régulièrement la galette aux sons et de recourir ponctuellement aux traitements appropriés.

L'avis du Dr Dukan

La constipation est le problème le plus fréquemment rencontré. Habituellement, il ne s'agit pas d'une vraie constipation mais d'une réduction des selles et d'un simple ralentissement en partie dû aussi au manque de graisses du régime, ce qui réduit la lubrification du colon. La vraie constipation survient habituellement chez des femmes ayant déjà une tendance naturelle à ce trouble digestif et qui sont traitées ou se soignent seules.
Chez elles, la constipation peut devenir très gênante. Pour y remédier, commencez par boire plus et en forçant sur l'eau d'Hépar à jeun ou au petit déjeuner et pratiquez chaque matin, au lever du lit, une série d'abdominaux. Si cela ne suffit pas, passez à l'huile de paraffine à rajouter en très petite quantité dans une vinaigrette à la place de l'huile, ce qui, à la fois, lubrifie le tube digestif et réduit l'énorme valeur calorique de l'huile alimentaire (9 calories par gramme et 130 calories par cuillère à soupe).
Si la paraffine ne suffit toujours pas, il est possible de recourir au suppositoire de glycérine. Sinon, deman-

dez à votre pharmacien des petits cubes de concentré de fibres de fruits.
Et au-delà, il faut en parler à votre médecin traitant car la constipation peut réduire votre vitesse d'amaigrissement.

« Vous consommez combien d'œufs par semaine ? »

Dukan précise que la consommation de tous les aliments Dukan est à volonté. Mais il convient tout de même de limiter la consommation à quatre œufs par semaine dans le but de ne pas faire grimper son taux de cholestérol.

Comment faites-vous pour agrémenter vos plats Dukan ?

Pour varier les plaisirs selon vos goûts et vos envies, rien de tel que d'utiliser les arômes et les épices.

Vous pouvez trouver tous les arômes de base dans le commerce : vanille, citron, amande amère. Mais si vous voulez faire preuve d'originalité et vous procurer nombre d'arômes particulièrement variés, il n'y a, encore une fois, qu'Internet. J'ai pu y trouver un choix absolument immense d'arômes. Mes goûts vont plus vers ceux aux fruits, comme l'abricot, la pomme verte ou la framboise pour les yaourts. Pour les pâtisseries, j'apprécie beaucoup le goût de caramel dans mes flans ou celui de chocolat blanc. Je fais preuve de beaucoup d'imagination quand j'utilise les arômes de fromage, d'olive, ou d'anchois dans mes pizzas.

Je suis passée également maître dans l'utilisation des épices. Je sais comment réaliser un curry absolument délicieux en mélangeant du gingembre, du piment et de la cardamome. Je voyage et me retrouve au Japon en vous cuisinant un bœuf « teriyaki » ou en Inde en préparant un kebab de poisson. Je sais aussi apporter juste une petite touche d'ail et fines herbes à une viande bien grillée.

Les possibilités de création sont infinies et on ne se lasse jamais.

Peut-on remplacer l'eau par toute autre boisson light ?

La réponse est évidemment positive. Les boissons light font partie intégrante du régime Dukan. Il existe même depuis peu en vente, dans le commerce, toute une gamme de boissons « zéro » avec lesquelles on peut varier les plaisirs. Il existe des boissons à l'orange, au citron, au thé vert, aux fruits rouges.

Il convient tout de même de rester vigilant et de toujours contrôler la valeur énergétique du produit sur les étiquettes. Vous serez à l'abri de toutes les mauvaises surprises.

Autre solution qui m'a été apportée par le forum, c'est celle liée à mon problème d'hyperhydrose, parallèle à mon obésité.

En faisant quelques infidélités à mes collègues de l'onglet vert, je suis tombée, dans la partie « santé » du forum, sur le témoignage d'un jeune homme qui décrivait son problème :

« Bonjour,

(…)

Depuis quelques années je transpire pas mal des aisselles, et j'ai souvent d'énormes auréoles sous les bras.

Les déo même sans parfum ne sont d'aucune efficacité… Je suis obligé de changer de haut deux à trois fois par jour. Dès que je peux dans la journée, je reprends une douche.

Je ne m'habille qu'en noir, je ne peux porter aucune couleur.

Je voulais savoir si vous avez des solutions pour arrêter de transpirer. En plus, cette sensation d'être mouillé est aussi très désagréable. »

Ce témoignage, c'était moi. Il décrivait ma situation, mes problèmes avec cette transpiration excessive localisée au niveau des aisselles. J'étais triste pour ce jeune homme, mais également soulagée de savoir que je n'étais pas la seule à souffrir de cette maladie. Je n'avais jamais entendu parler d'« hyperhydrose » auparavant. D'ailleurs, à ma connaissance, une seule émission de télévision a abordé ce sujet délicat jusqu'à présent : l'émission de Jean-Luc Delarue, « Ça se discute », sous le titre (vous apprécierez !) : « Les Maladies honteuses ».

Si le fait d'avoir identifié la maladie, et de découvrir que je n'étais pas l'unique personne à en souffrir, a été un soulagement, savoir comment la combattre a été une délivrance.

C'est une doctinaute qui répondait au message de ce jeune homme désespéré qui a, en même temps, répondu à toutes mes attentes.

« J'ai trouvé la solution miracle, fais-moi confiance : il s'agit du déodorant "E Peaux Sensibles". C'est une petite bouteille que tu trouves dans toutes les bonnes parapharmacies.

C'est bluffant. Je transpirais également énormément sous les bras et je me disais : dire que je ne peux rien y faire (en effet, j'avais l'impression d'avoir déjà tout essayé), c'est déprimant.

Et puis hop j'ai rencontré "E" et ma vie a changé. Lis les autres messages concernant ce produit et tu trouveras des arguments pour étayer mon enthousiasme. T'inquiète, tu l'as, ta solution ! »

À la lecture de la réponse de cette internaute, vous pensez bien que, la première chose que j'ai faite, c'est d'aller rechercher tous les témoignages concernant ce produit révolutionnaire. Et, effectivement, tous étaient UNANIMES.

« Ce produit est magique ! » d'après La Petite Miss.

« Moi aussi j'avais des problèmes de transpiration au niveau des aisselles, mais depuis que j'utilise "E", ma vie a changé. Je n'ai plus honte et je sors plus souvent », témoignait Antoine.

« J'utilise l'anti transpirant "E" le soir. C'est super efficace !! », racontait Choupinette.

Tous les messages concernant ce produit étaient tellement élogieux que je n'ai pas hésité une seconde. J'ai éteint l'ordinateur, ai préparé mon fiston qui jouait tranquillement dans son parc et j'ai filé vers la plus grande parapharmacie que je connaissais. J'ai trouvé ce petit déodorant sur l'étagère la plus basse du rayon. J'ai pris garde à choisir le modèle pour « peaux normales », réputé par les doctinautes bien plus efficace que celui pour « peaux sensibles ».

« E » se présente sous la forme d'un déostick, blanc avec une petite rayure rouge. Il n'a pas de parfum. J'ai déballé la notice, pleine d'interrogations et d'espoir, et j'ai suivi les instructions méticuleusement. J'ai attendu le soir, pris ma douche en insistant sur les aisselles et j'ai pris soin d'avoir la peau bien sèche avant d'appliquer le produit. Quelques minutes après l'application, je sentis mes aisselles picoter, puis brûler pendant près d'un quart d'heure. Rien d'insupportable. J'ai recommencé l'application le jour suivant dans les mêmes conditions.

Vous me croirez si vous voulez, mais le lendemain de cette seconde application : plus rien. J'avais les aisselles sèches, mon corsage sec. Rien, pas une auréole, pas d'eau, même pas une petite trace d'humidité. C'était une libération. J'allais pouvoir enfin mettre un peu de gaieté dans ma vie. J'allais enfin pouvoir mettre des couleurs, changer de look et oser même les manches courtes. Certes, l'application de « E » doit être renouvelée, environ une fois par mois, car son effet s'estompe, et la transpiration, à un degré bien moindre, finit par réapparaître.

Aujourd'hui, comme tous les autres doctinautes, ce produit a changé ma vie. Je n'ai plus honte, je n'ai plus à me cacher et à dissimuler ce problème à mon mari et à mes proches. Je n'hésite plus une seconde à porter un petit corsage rouge ou bleu clair. Je n'ai plus besoin de changer de haut chaque midi ou bien même de reprendre une douche dans la journée.

Le forum a été pour moi un soutien sans faille.

Soutien, au sens de partage

Pour m'aider à surmonter mon obésité et *a fortiori* mon amaigrissement, j'avais bien pensé à rencontrer d'autres personnes atteintes d'obésité. En groupe, on est toujours plus fort. J'avais donc recherché sur Metz s'il existait, au même titre que les Alcooliques Anonymes, une LDG, « Ligue des Gros », sorte d'association qui aurait pu répondre à mes aspirations. Mais j'ai très vite déchanté dans mes recherches. La seule association « de gros » que j'avais pu trouver résidait dans la capitale et ses idées s'orientaient beaucoup plus vers le fait d'assumer ses rondeurs que vers un amaigrissement. J'ai donc abandonné cette idée d'association.

C'est le forum qui est venu très vite remplacer cette LDG. De se retrouver « entre nous », même derrière l'ordinateur sur l'onglet « surpoids et obésité », permet de se livrer sans complexes, d'expliquer sans tabous tous les problèmes liés à son obésité, et d'exprimer toutes ses souffrances. Le forum a été pour moi psychologiquement fondamental.

Certes, j'étais soutenue par mes proches, et j'aurais pu partager mes problèmes avec eux. Je ne l'ai pas fait parce que cette honte que l'on ressent quand on se trouve face à nos parents, nos amis, cette honte n'existe plus sur le forum. C'est un endroit où je peux me lâcher, exprimer tout ce que j'ai sur le cœur sans aucune restriction, et trouver toujours un petit mot de soutien et de réconfort dans les moments difficiles. C'est une formidable échappatoire, une bouffée d'oxygène, une porte de sortie.

Soutien aussi au sens de motivation

Il faut être clair : même quand on a eu ce fameux déclic que j'évoquais au début de ce témoignage, le plus difficile est de maintenir le régime sur la durée et ne pas voir s'effriter sa motivation.

Pendant toute ma phase d'amaigrissement, j'ai eu de gros passages à vide et de grosses baisses de moral qui se matérialisaient par des crises de larmes et une irritabilité extrême. À chaque fois, dans ces moments difficiles, j'ai trouvé sur Doctissimo la force de ne pas céder, le petit message d'encouragement qui m'a empêchée de courir vers le frigo, le petit coup de pied aux fesses dont j'avais besoin.

« Le post des défis » de ma copine Zozefine m'a notamment beaucoup aidée. C'était un petit message dans lequel on s'inscrivait en début de mois, avec son poids au 1er et son objectif de perte pour le 31. Une pesée est alors enregistrée le 10 et une autre le 20 du mois. Le défi était donc gagné si le poids affiché sur la balance le 31 du mois était celui pronostiqué au début.

Ce post, qui avait un succès du tonnerre, m'a remotivée dans les moments de doutes et de découragement. Merci Zozefine !

Soutien au sens de reconnaissance

J'ai ressenti cette « reconnaissance » lorsque j'ai atteint mon objectif d'amaigrissement, en mai 2006 : 75 kg. J'étais tellement heureuse de mon succès qu'il fallait en faire part à mes copines « forumeuses ». J'avais donc créé un petit message, y avait attaché quelques photos et j'écrivais ceci :

« J'ose mon petit post personnel. C'est peut-être un peu égoïste, mais bon. Je veux juste vous dire qu'à la pesée – ce matin, la balance affichait 74,00 kg, soit – 45 kg en huit mois.

Je commence donc la stabilisation.

Pour toutes celles qui me connaissent et qui m'ont soutenue, merci. C'est grâce à vous que j'ai réussi.

Pour toutes celles qui me liront et qui commencent leur régime, quel que soit le nombre de kilos à perdre, sachez que c'est toujours possible et qu'il ne faut jamais se décourager. Courage ! »

Je ne peux pas vous dire à quel point j'ai pu être touchée par les messages qui m'ont été laissés. Je remercie encore tous ceux et celles qui m'ont laissé à cette occasion un petit mot.

Certains me sont allés droit au cœur.

Celui de ma copine Esioc :

« Kiki c'est époustouflant !!!

C'est parti pour la stabilisation, on va t'avoir à l'œil hein ?

Je crois bien que depuis que je suis sur Doctissimo je n'ai jamais vu un tel résultat avec Dukan. Tu vas être l'emblème de la duduréussite toi, not' dudumascotte ! »

Ma copine Maya :

« Félicitations Kiki, c'est incroyable, quel bel exemple de courage tu nous montres là, c'est le poids que j'ai aussi à perdre et en te lisant je vois que rien n'est impossible. »

Ma copine Cline :

« Kiki tu es magnifique et tu veux que je te fasse rire ?

Mon homme te trouve même un peu trop maigre. Je crois que tu as réussi un sacré tour de force.

Bravo bravo et encore bravo.

Bizzzzzzz »

Ma copine Nini :

« Bonsoir Kiki,

Je suis très admiratrice de ton résultat ; chapeau bas !

Je n'en reviens pas, c vraiment épatant. Tu dois être fière ainsi que ton entourage il y a de quoi moi la première d'être fière de ta perte je suis très heureuse pour toi.

Tu nous motives tous la preuve que tout est possible tu es notre exemple. »

Une forumeuse anonyme :

« Bravo Kiki jolie...

Dès le début tu m'as marquée par ta gentillesse et maintenant se mêle à ce sentiment un très très grand respect pour ton parcours et ta persévérance...

Merci pour cette jolie leçon. »

Et il y en avait tellement d'autres... J'ai enregistré 283 messages en réponse à mon petit mot ce jour-là.

Soutien aussi au sens de l'amitié

Certaines rencontres virtuelles se sont transformées en véritables amitiés.

Chouka est un jeune homme qui a perdu près de 70 kilos. Après avoir échangé des centaines de messages, je me suis décidée à lui passer un petit coup de fil.

Notre première conversation téléphonique restera dans les annales des télécommunications. On ne s'est rien dit. Nous étions tellement intimidés tous les deux que nos échanges se sont limités à des banalités en cinq minutes chrono.

Notre seconde conversation téléphonique restera également dans les annales des télécommunications, mais quant à sa longueur. Qu'est-ce qu'on a pu papoter ! On s'est raconté nos aventures régimesques. Il m'a expliqué comment il avait perdu autant de poids, malgré les réticences de ses proches, et comment maintenant il stabilisait. Nous avons aussi parlé du ressenti des gens quant à notre amaigrissement et avons fait tous deux le même constat douloureux. Beaucoup sont jaloux et ne supportent pas qu'on puisse réussir à maigrir.

Chouka m'a raconté qu'on lui avait même demandé s'il était atteint du virus HIV pour maigrir comme ça. Je trouve ça absolument sordide.

J'adore parler avec lui, et j'attends avec impatience l'occasion d'une rencontre nationale pour faire la « réelle » connaissance de mon ami.

Zozefine, elle, je l'ai vraiment rencontrée. C'est une jeune femme de 32 ans, ouverte, charmante et bourrée d'humour. Elle a perdu près de 32 kg avec le régime du Dr Dukan.

Pour notre première rencontre, nous nous étions donné rendez-vous devant la cafétéria d'une grande surface. Même si nos descriptions virtuelles avaient été d'une précision suisse, j'avais peur de ne pas la reconnaître. Je l'attendais, là devant les grandes portes vitrées du restaurant, et je dévisageais toutes les femmes qui passaient.

« Celle-ci ne s'arrête pas... Non c'est pas elle. » Je stressais... « Et si je ne la reconnaissais pas ? Et si elle ne venait pas ?... Et si on ne s'entendait pas ? »

Et puis, elle a passé la porte tournante, et bien qu'encore éloignée, j'ai tout de suite su que c'était elle. Elle portait un pantalon de toile beige et un haut blanc. Elle était un peu plus petite que moi, le visage rond, les cheveux châtain clair, tendant un peu sur le roux, et la mine réjouie. On est presque tombées dans les bras l'une et l'autre. On avait tellement de choses à se dire, on a parlé pratiquement tout l'après-midi, confortablement installées dans les fauteuils de la cafétéria.

Elle m'a expliqué comment elle avait eu un déclic pour Dukan, comment elle avait ensuite maigri, et comment elle était passée ensuite à la micro nutrition. Elle m'a parlé de ses deux adorables gamines et de son mari. Zozefine m'avait raconté aussi tous les potins du forum. Non seulement, ma Zozounette était une routarde du forum, mais en plus elle participait régulièrement aux rencontres nationales organisées un peu partout en France.

Zozefine m'a dressé des portraits élogieux des forumeurs qu'elle avait pu rencontrer, et notamment celui de Chouka. Ce qui ressortait de ces récits, c'était toujours des moments magiques, pleins d'humour, de tolérance et de bonheur.

Aujourd'hui, je surfe évidemment beaucoup moins sur le forum, parce que je suis très occupée professionnellement et aussi parce que j'ai acquis une grande pratique du régime.

Cependant, chaque jour, j'essaye de dire un petit coucou à mes copines du forum, sur le post des stabilisations que j'ai créé.

Je suis fière d'être une doctinaute.

Chapitre 9

8 MOIS DE RÉGIME : – 45 KG

Si, un jour, on m'avait dit que je perdrais autant de poids en aussi peu de temps, jamais je ne l'aurais cru. Mais je l'ai fait pourtant et j'ai réussi. J'ai commencé le régime Dukan le 5 septembre 2005 à 119 kg et j'ai atteint 74 kg le 13 mai 2006, soit – 45 kg en huit mois.

Alors comment concrètement s'est passée ma phase d'amaigrissement ?

Je vais tenter de répondre à toutes vos interrogations.

Pouvez-vous me donner un menu type d'une journée ?

Comme je l'ai dit précédemment, il est important de varier au maximum les aliments pour conserver du plaisir à chaque repas et pour maintenir le régime sur une longue période. Il est donc difficile pour moi d'établir un menu standard Dukan. Néanmoins, voici globalement à quoi ressemblaient mes repas.

En PP :

Matin : café noir et petit cachet de vitamines

10 h : café noir, deux yaourts 0 % aromatisés à la vanille ou rien du tout

Midi : cinq bâtons de surimi, une cuisse de poulet, deux yaourts aromatisés coco

Soir : pizza Dukan saumon, lait écrémé saveur caramel

En PL :

Matin : café noir et petit cachet de vitamines
10 h : café noir, deux yaourts 0 % aromatisés à la vanille ou rien du tout
Midi : tomates, concombre, deux steaks 5 %, deux yaourts aromatisés coco
Soir : soupe 0 % MG, une tranche de cabillaud, porridge vanille

Avez-vous fait des écarts pendant votre phase d'amaigrissement ?

Je n'ai fait AUCUN écart. Pas un seul en huit mois. Même pas aux repas de Noël ni pour le baptême de mon fils. Rien, *nada* ! J'avais en tête, marqués aux fers rouges, les avertissements du Dr Dukan quant aux écarts, qui se payent *cash* sur la balance, mais aussi cette idée terrifiante qu'un seul écart peut en entraîner une multitude derrière.

Comment avez-vous fait pour tenir ce régime aussi longtemps ?

D'abord, j'ai eu de la volonté, tout simplement. Je gardais en mémoire cette terrible image de mon fiston me regardant, obèse et moche, et refusant que je vienne le chercher à l'école. À chaque tentation, cette pensée horrible me remettait dans le droit chemin. À chaque fois, j'ai eu la volonté de refuser le petit chocolat, le petit bonbon ou le petit coup payé pour le pot de départ de Tartempion. Un amaigrissement, c'est aussi un travail sur soi. Tout le monde peut y arriver. Il suffit de le vouloir vraiment et d'utiliser cette force de caractère qui est en chacun de nous.

Ensuite, j'ai su m'organiser et trouver plein de petites astuces pour ne pas être confrontée à des envies irrépressibles.

▸ Premier petit truc, c'est de boire beaucoup. De l'eau évidemment, mais aussi des eaux aromatisées et des boissons light. Boire me permettait de me remplir l'estomac et de compenser un petit peu mon envie de produits sucrés. Avec ce type de boisson, j'avais déjà le goût sucré dans la bouche.

▸ Autre petit truc : j'ai utilisé quelques principes tirés de l'olfactothérapie et j'ai créé ma boîte à odeurs. Dans une petite boîte en métal, vous introduisez huit clous de girofle, deux bâtonnets de vanille, quelques grains de café et une pincée de cannelle. Vous fermez hermétiquement et, en cas d'envie intense de sucré, vous ouvrez la boîte et humez délicatement. Avec cette boîte, vous avez recours à votre sens olfactif, en lieu et place de votre sens gustatif, sens des saveurs. L'odorat et le goût sont deux sens neurologiques couplés qui fonctionnent systématiquement en commun. Le recours à cette boîte vous permet de résister au maximum à toute envie de sucre.

▸ Encore une petite astuce : grignoter a toujours signifié pour moi manger plein de petites choses diverses de manière successive. Donc grignotez, mais grignotez Dukan. Vous pouvez manger plein de petites choses toutes prêtes que le Dr Dukan autorise. Dans votre frigo, veillez donc toujours à avoir sous la main ces aliments sans préparation et riches en protéines, comme les yaourts 0 %, le surimi, le jambon light, de la viande des Grisons, des verres de lait écrémé, des œufs durs. Pour moi, l'arme fatale anti-grignotage, c'était la boîte de maquereaux au vin blanc et aux aromates. Imparable. Le maquereau vous arrive sur l'estomac et vous pouvez profiter de l'arrière-goût du vin blanc et des aromates pendant les quatre heures qui suivent. Franchement, je n'ai pas trouvé mieux comme coupe-faim.

J'ai tenu, comme je vous l'ai précédemment expliqué, parce que je n'ai jamais été tiraillée par la faim. Les aliments autorisés étant illimités, dès que j'avais faim, je mangeais sans me poser de questions, sans avoir besoin de peser quoi que ce soit, sans faire de calculs complexes, et sans me demander si j'avais encore des points en réserve.

Je me souviens d'une de ces terribles fringales, en plein milieu de l'après-midi, une journée chaude d'octobre, soit un peu plus d'un mois après le début du régime. Je me suis précipitée vers le frigo, et j'ai englouti une boîte entière de surimis. Sur le coup, j'avais culpabilisé, en me disant que la quantité (j'avais quand même mangé douze bâtons) aurait sûrement une incidence sur la balance. Eh bien... Même pas.

Je le répète : ne pas avoir faim est essentiel pour la réussite d'un régime.

Enfin, comme je vous l'ai déjà dit, je n'ai pas craqué non plus parce que j'ai gardé, avec ce régime, le plaisir de cuisiner. Tous les aliments autorisés permettent de concocter de vrais petits plats. Pour vous permettre de vous en rendre compte, je vous invite dans mon restaurant « L'Original » au chapitre 14 de cet ouvrage. Sans un gramme de matière grasse, venez étonner vos papilles ! Tous sont conviés, même ceux qui ne pratiquent pas le régime du Dr Dukan.

Combien avez-vous perdu les premiers mois ?

Le premier mois, j'ai perdu presque 8 kg et le second, 11. C'était phénoménal, rapide, incroyable. Ensuite, jusqu'au sixième mois, j'ai environ perdu 4 à 5 kg par mois. Le septième et le huitième mois, l'amaigrissement a été beaucoup plus lent. J'ai perdu 3 kg, le septième mois, et 2 seulement le huitième.

Pour vous aider à vous rendre compte du résultat, voici un petit comparatif de mes mensurations avant et après régime :

	Septembre 2005	Septembre 2007
Seins	112 (110 D)	90
Taille	107	75
Hanches	132	87
Fesses	140	100
Cuisse gauche	85	56
Cuisse droite	89	58
Mollet gauche	56	41
Mollet droit	56	40
Bras gauche	41	28
Bras droit	41	28

C'est significatif, non ?

Avez-vous commencé le sport dès le début de votre phase d'amaigrissement ?

J'ai essayé de faire du sport tout au début de ma période d'amaigrissement. Mais tous les obèses savent que faire du sport quand on a une surcharge pondérale importante est « assez » pénible.

En effet, faire du sport quand on porte sur ses épaules 120 à 150 kg peut avoir pour effet de détériorer un peu plus la mécanique (genou, cheville et dos), et vous dégoûter pour toujours d'avoir un minimum d'activité physique.

Je me souviens d'un reportage d'« Envoyé spécial » sur l'obésité des enfants et des adolescents. Une des protagonistes de ce reportage était une jeune fille de 16 ans, probablement en état d'obésité morbide. Je dis probablement parce que l'on n'a pas eu connaissance réellement de son poids. Cette jeune femme, Jessica, avait intégré une école prévoyant un programme spécial pour les jeunes obèses. Leur programme scolaire intégrait plusieurs heures de sport par semaine. Attention, des sports adaptés à l'obésité ! Il était question de s'échauffer doucement autour d'un terrain de sport, hors du regard des non-gros, et de sensibiliser l'obèse à la prise de balle en volley-ball. Savoir lancer la balle. C'est tout. Il ne s'agissait pas de faire courir l'obèse comme un fou, ni de le pousser au-delà de ses possibilités.

Quand on est obèse, il faut bouger. Dépenser des calories, ce n'est pas forcément faire du sport comme on l'entend la plupart du temps. Et moi, malheureusement, ce n'est pas dans cette optique que j'avais décidé de commencer le sport. Je l'ai vite appris à mes dépens.

J'avais demandé à mes parents de me donner leur vélo d'appartement. C'était une vieille machine, poussiéreuse, qu'ils n'utilisaient plus, depuis des années. Le vélo qui occupait un coin de la salle de bains avait intégré mon salon pour quelques mois.

Je me souviendrai longtemps, je crois, de ce 6 septembre 2005, lendemain du début de mon régime, première séance de sport, après mon accouchement et à mon poids de départ, 119 kg. J'étais dans l'optique : « Plus je vais faire vite et fort du sport, et plus je vais maigrir vite. » Quand j'y repense aujourd'hui : quelle aberration !

J'installe le vélo en plein milieu du salon. Je cale un tapis de sol en dessous pour éviter de faire trop de bruit, pensant aux voisins, en pédalant. J'ouvre en grand les fenêtres de l'appartement pour pouvoir correctement respirer. J'allume la télé, colle un CD de Bonnie Tyler dans le lecteur de DVD, monte le son et hop j'enfourche le vélo…

Et là… très vite, je me rends compte du mal de fesses que je risque d'avoir si je pédale comme ça ! La selle en cuir dur, sans rembourrage, me blesse littéralement le derrière. De chaque côté, je sens mes kilos de graisse me tomber le long des cuisses.

Je descends de la bécane et vais dans la chambre chercher une serviette de toilette, bien moelleuse et bien épaisse. Énervée par ce contre temps, je mets la serviette sur la selle et j'enfourche à nouveau précipitamment la vieille machine. Et là, en posant « mon gros cul », la serviette dérape. Je glisse, tombe à la renverse, et m'étale lamentablement sur le parquet, au pied du vélo.

Moi qui ne voulais pas déranger les voisins en pédalant, je vous jure qu'ils ont dû se demander ce qui se passait au-dessus. Une baleine s'est échouée ? Un mur a été abattu ? Il y a eu une explosion de gaz dans le quartier ?

Non, non, rien de tout ça. Juste un « viandage » en beauté sur le parquet du salon. J'étais étourdie, sonnée par la chute. Allongée sur le côté, une jambe repliée sous moi et l'autre encore prise dans le cadre du vélo, j'avais mal au coude et au genou. Je rigolais de mon vol-plat-nez et, en même temps, je pestais contre cette fichue mécanique, prévue, à coup sûr, pour les filles anorexiques qui ne montent dessus qu'une fois par trimestre.

La situation est devenue beaucoup moins comique quand j'ai essayé de me relever. J'étais seule, personne pour venir m'aider. Ce n'est pas mon pauvre bout de chou, alors âgé de quelques semaines, qui dormait comme un ange dans la chambre à côté et ce malgré mon raffut, qui aurait pu me prêter main-forte.

Quand on traîne 119 kg et qu'on chute comme ça, je peux vous dire que c'est tout un parcours du combattant pour se redresser. J'ai dégagé ma jambe coincée dans le vélo. Puis j'ai soulevé mes fesses graisseuses pour laisser la voie libre à l'autre jambe coincée sous moi. Je me suis retrouvée à plat ventre. De là, je me suis mise à quatre pattes et j'ai pu attraper le bord du mur pour m'appuyer et enfin me relever.

J'étais trempée, rouge pivoine et essoufflée comme un buffle en rut... Et, le pire de tout, c'est que je n'avais donné qu'un, deux ou trois coups de pédale ! Il m'a fallu un quart d'heure pour me tirer d'affaire.

Le plus beau dans cette histoire, c'est qu'une fois que j'ai eu récupéré mon souffle, que j'avais constaté que tout allait à peu près et que je m'apprêtais à enfin remonter sur cet instrument de torture, j'ai remarqué une petite étiquette collée sous l'indicateur de vitesse qui indiquait : « poids maximal 100 kg ».

Là, c'était le pompon ! Je ne pouvais même pas commencer à faire du sport, le vélo ne supportant pas mon poids.

Vous pensez bien que ce délicieux épisode m'a fait clairement comprendre que je devais attendre d'avoir perdu du poids avant de commencer à faire du sport. En attendant de commencer réellement le sport, il fallait que je mette en place un programme d'activité, adapté à mon état, qui m'amènerait doucement, sans traumatisme, à retrouver mon corps, et à bouger.

Je me suis penchée longuement sur le problème et vous retrouverez ce programme un peu plus loin dans le livre.

Avez-vous été fatiguée ?

C'est la raison aussi pour laquelle je déconseille à n'importe quel candidat à un amaigrissement majeur de se mettre au sport, à proprement parler, au début d'un régime.

Une perte de poids rapide provoque immanquablement une fatigue. Chez moi, cette fatigue était limitée, car, ne retravaillant pas encore, j'avais la possibilité de faire des méga siestes. Je faisais pratiquement les mêmes roupillons que mon gamin. Je couchais Alexandre vers 13 h 30. Mon bonhomme dormait généralement jusque 16 h. J'allais faire un tour sur le forum et je m'allongeais ensuite sur le canapé.

Cette situation de congé maternité m'a permis de supporter le démarrage plus que rapide du régime Dukan et j'ai particulièrement bien supporté de perdre près de 19 kg en deux mois.

Il est clair que, lorsque j'ai recommencé à travailler, ma perte de poids s'est ralentie et la fatigue s'est fait ressentir davantage. J'ai donc adapté mon amaigrissement à ma situation. Il fallait que je me ménage des plages de repos, surtout pendant les week-ends. Par ailleurs, j'ai été particulièrement scrupuleuse dans mes prises de vitamines. J'ai également été attentive à me rendre régulièrement à mes différents rendez-vous médicaux et à faire des check-up complets très régulièrement.

Au bout d'un moment, je me suis sentie moins fatiguée. Mon corps s'est habitué à mes nouveaux comportements alimentaires. J'ai réussi à gérer et à ne pas compenser mes coups de pompe par la bouffe.

Comment ai-je fait pour prévenir les problèmes de peau ?

Une des grandes craintes que j'avais, en débutant mon régime, était d'être confrontée au problème de « la peau qui pend ». Vous savez ce que l'on nomme très élégamment « le tablier ». Je voulais maigrir, mais je ne voulais pas avoir des tonnes de peau en trop.

Il n'y a pas trente-six solutions pour échapper à ce phénomène : les crèmes, les massages, une excellente qualité et élasticité de peau et/ou la chirurgie esthétique.

Pendant toute ma période d'amaigrissement, j'ai utilisé des crèmes lipo-réductrices et je me suis massée cuisses, fesses et ventre, deux fois par jour, quinze minutes par zone. C'est particulièrement contraignant, mais c'est à ce prix que je ne connais pratiquement pas aujourd'hui ce problème de peau pendante :

— Au niveau facial, j'ai récupéré mon visage de jeune fille. Je n'ai aucun stigmate de mon régime.

— En ce qui concerne le tronc, j'ai quelques vergetures dans le pli sous le bras, mais aucune peau pendante.

— Sur le ventre et autour de la taille, j'ai beaucoup de vergetures, mais toutes blanches, et discrètes. Rien à voir avec les énormes traces violettes qui me marquaient le ventre et le dos après mon accouchement et, surtout, je n'ai aucun tablier. J'ai un minuscule surplus de peau sur le bas-ventre, mais l'ayant « travaillé » en musculation, j'ai aujourd'hui une belle plaque abdominale parfaitement dessinée.

— C'est au niveau des cuisses que l'on voit aujourd'hui les séquelles de mon régime. J'ai un bon surplus de peau juste sous les fesses et autour des cuisses. Bon, ce n'est pas laid, mais ce n'est pas joli non plus. Quand je vais à la piscine, je vois ma peau des fesses onduler et je déteste cette sensation. Je sais que, pour mes cuisses, je n'aurai d'autre choix que de passer entre les mains d'un chirurgien esthétique pour deux liposuccions et une lipectomie.

Combien de fois avez-vous changé de garde-robe ?

Je suis passée d'une taille 60 au plus fort de ma grossesse, 58 après la naissance, à une taille 38 pour les hauts et 40 pour les pantalons. J'ai changé de garde-robe sept fois.

Alors oui, ça représente de l'argent. Il faut absolument ne pas acheter quinze mille tenues pendant un amaigrissement. J'attendais vraiment que les vêtements ne m'aillent plus du tout avant d'en changer. J'achetais un ou deux trucs dans la nouvelle taille et pas plus et faisais aussi mes emplettes dans les magasins discount pour gérer les dépenses. Je me suis débrouillée comme ça.

Avez-vous eu des problèmes de santé particuliers pendant votre phase d'amaigrissement ?

Lors de mon amaigrissement, j'ai été confrontée à un seul souci de santé : un bouleversement complet de mes cycles hormonaux. Avant le régime, je savais pratiquement à la minute près quand je serais indisposée. Le régime Dukan est venu pulvériser cette précision hormonale.

Certes, j'ai commencé le régime seulement trois semaines après la naissance d'Alexandre et toutes les femmes savent que la période qui suit l'accouchement est plus ou moins difficile en la matière. Mais, dans mon cas, non seulement mon retour de couches n'est survenu qu'après deux mois mais, en plus, toute la période qui a suivi a été complètement anarchique ! J'avais mes règles tous les quinze jours, puis plus du tout pendant un mois et demi, et à nouveau pendant trois semaines.

Mon gynécologue n'a pas eu beaucoup de choix pour remédier à mon problème, devant mon refus catégorique d'adopter un régime moins sévère. Il m'a prescrit une autre pilule. Cette prescription a sensiblement amélioré les choses, mais il a fallu attendre le début de la stabilisation pour que mes cycles soient à nouveau normaux.

Avez-vous toujours été d'humeur égale ?

Oh mon Dieu, non ! Et pourtant, les gens qui me connaissent me disent souvent que je suis naturellement d'humeur égale. Je suis joyeuse, ouverte et avenante envers les autres.

Résister aux tentations ne signifie pas qu'on le fait avec plaisir et avec un sourire jusqu'aux oreilles. Ne pas céder aux envies, surtout si ces dernières prennent la forme d'une terrible compulsion alimentaire, va créer inévitablement une sensation de manque et de frustration. On devient irritable et on s'énerve pour des broutilles. Le tout est de savoir se contrôler, de vite se changer les idées et de compenser cette frustration « alimentaire » par un autre plaisir. Des achats dans des magasins, une séance de cinéma ou même des jeux coquins sous la couette, pourquoi pas ?

Mais, je l'avoue, j'ai quelquefois ressemblé à un pitbull à qui on avait pris son os. Je grognais au restaurant à cause de la fille filiforme à côté de moi qui s'enfilait une assiette de frites pleines de ketchup. Je pestais contre le jeune qui venait s'asseoir à côté de moi au cinéma, et qui avait dans les mains une barquette de chips mexicaines trempant dans la sauce piquante ou contre le collègue qui se goinfrait de pizza le midi en face de moi.

Il m'est même arrivé, mais là, j'ai vraiment honte, de légèrement grogner quand mon fils mangeait à 4 h sa petite barre de chocolat !

Mon mari savait généralement quand j'étais atteinte de ce type de crise, heureusement assez rare :

« Oh… toi, t'es de mauvaise humeur… Donc je te laisse tranquille, c'est ça ?

— Mmmmm !

— Oui, effectivement, c'est ça. »

Olivier a été particulièrement compréhensif et patient avec moi. Quand il me voyait dans cet état, il me glissait juste un petit mot de soutien et filait discrètement devant son ordinateur. Le temps que passe mon agressivité. Je me collais devant une ineptie à la télévision et, effectivement, la crise finissait par passer.

Chapitre 10

MÉTAMORPHOSE

Je ne voulais pas seulement maigrir, je voulais aussi complètement changer d'apparence, me métamorphoser et devenir une autre « Chris Girard ». Sortir de ma peau d'obèse et être une belle femme, sportive et relookée.

Je savais que ce serait un travail de longue haleine, parfois douloureux, mais absolument nécessaire.

Tout au long de mon amaigrissement, telle une chenille dans un cocon qui prend son temps pour éclore et devenir un beau papillon, je me suis transformée, doucement, en m'attaquant, étape par étape, à tout ce qui me déplaisait en moi.

J'ai décidé de commencer ma transformation par un travail sur mes dents. Je savais que les soins dentaires seraient longs et onéreux, mais compatibles avec un régime alimentaire.

Compte tenu de l'ampleur des réparations à entreprendre, une séance de soins était prévue à peu près tous les quinze jours. À chaque fois, mon dentiste, le Dr DB, avait le même rituel et ça me faisait doucement sourire. Il désinfectait tout son matériel high tech, plaçait sur son nez et sa bouche une protection bleue en papier, enfilait ses lunettes, et hop, il replongeait, après une dernière petite radio de contrôle, à la poursuite du diamant dent. Tel l'Indiana Jones des quenottes, il dynamitait les amas de plomb, tout en évitant à chaque fois l'effusion de sang, fraisait ses montagnes blanches, rocailleuses, irrégulières, soumises parfois à des attaques d'acide dukanesque et colmatait les énormes cratères chicotesques.

Je ne peux pas dire que j'appréciais vraiment les interventions de mon aventurier des ratiches, mais le fait de me dire qu'il contribuait à chaque intervention à ma transformation me motivait et m'aidait à surmonter ces assauts inquiétants.

Mes soins dentaires englobaient aussi la question du blanchiment. Il est toujours appréciable de pouvoir afficher un sourire un peu plus éclatant. J'avais d'emblée écarté les méthodes de blanchiment par l'intermédiaire de mon dentiste, ces techniques étant particulièrement onéreuses. Il fallait que je compte entre 200 et 700 euros pour le blanchiment, ce qui était trop pour ma bourse.

J'ai donc trouvé une astuce qui m'a parfaitement convenu : le kit de blanchiment que l'on trouve dans toutes les bonnes parapharmacies.

J'ai vu des résultats spectaculaires avec cette technique. Complétée par un dentifrice « super méga white » et un brossage trois fois par jour, je pouvais être certaine d'afficher un beau sourire.

J'ai ensuite décidé de m'attaquer à ma myopie.

J'étais myope comme une taupe et, si je ne portais pas mes lunettes, j'étais condamnée à voir tout ce qui se passait autour de moi tel un film crypté. Je ne trouvais aucun avantage à porter ces bouts de verres carrés sur mon nez.

Alors oui, j'ai bien eu recours aux lentilles de contact, mais leur utilisation n'est pas sans poser des problèmes. En dehors de l'hygiène irréprochable dont on doit faire preuve pour les mettre ou pour les enlever, du fait qu'il ne faut pas s'endormir avec, du fait qu'il ne faut pas avoir les yeux trop fatigués pour les mettre, du fait qu'il ne faut pas prendre un coup ou une poussière dans l'œil quand on les porte, ou encore du fait que ça coûte une fortune et que ça ne vous dispense pas de posséder une paire de lunettes, surtout quand vous conduisez. Alors oui, avec des lentilles, vous pouvez aspirer à un certain confort.

J'ai très bien supporté les lentilles jusqu'au moment où je me suis retrouvée enceinte. Dès cet instant, j'ai subi une modification de mes larmes et je n'ai plus jamais réussi à porter mes lentilles de contact plus d'une journée, sous peine de conjonctivites purulentes. J'ai énormément souffert de cette situation. Avoir connu ce confort, même relatif, et repasser ensuite aux lunettes, fut vraiment une galère.

J'étais fermement décidée à devenir une autre femme et j'ai très vite envisagé l'opération de ma myopie, opération qui fut une véritable épopée.

Fin avril 2006, je contactai mon ophtalmologue habituel mais, comme à l'accoutumée, pas moyen d'avoir un pauvre rendez-vous avant un délai de huit mois. Il n'était pas question d'attendre aussi longtemps. Je tentai donc ma chance directement à la clinique. Et là, miracle, on me donna mon premier rendez-vous deux semaines plus tard.

Je rentre dans la salle d'attente du quartier « Ophtalmo » de la clinique. Je m'assois. Il y a au moins quinze personnes devant moi. Je commence à gesticuler sur mon siège en plastique dur. Puis, soudain, j'entends mon nom. Je passe devant tous ces gens qui me dévisagent et qui se demandent pourquoi c'est la dernière arrivée qui passe avant eux (en fait tous venaient pour des soins et non pour une opération). Une jeune infirmière m'attend sur le pas de la porte. Elle m'emmène dans une petite salle toute blanche, ornée d'énormes appareils optiques. Je m'assois sur un petit tabouret.

« Alors, Madame Girard, 28 ans. Vous voulez donc vous faire opérer de votre myopie, c'est bien cela ?

— Oui tout à fait. Je ne peux plus supporter les lentilles depuis ma grossesse, et j'en souffre beaucoup.

— Je vais vous expliquer les différentes étapes de l'opération. Tout d'abord il est nécessaire de faire toute une série d'examens pour savoir si vous pouvez être opérée. Tout va dépendre de l'épaisseur de votre cornée. Ensuite, une fois que j'aurai fait toutes ces mesures, je les communique au Dr CR qui, lui, vous dira si l'intervention est possible. Si tel est le cas, il vous expliquera toute la technique qu'il compte utiliser. Ça ira ?

— Oui, très bien.

— Si c'est possible, le Dr CR fixe avec vous une date d'intervention. Comme il n'y a qu'un seul laser sur Metz, les jours d'opération sont le jeudi. Il faudra donc vous arranger pour votre travail.

— D'accord, je devrais pouvoir y arriver.

— On pratique deux interventions. Jamais les deux yeux en même temps. Il faudra prévoir donc deux jeudis.

— Ça signifie donc que, pendant quelque temps, on a la même correction sur les deux yeux ?

— Oui, en effet. Cela implique que vous preniez vos dispositions auprès de votre opticien pour qu'il vous prépare des lunettes avec un verre corrigé pour l'œil qui n'aura pas été opéré et un verre sans correction pour l'œil opéré.

— C'est original !

— Sinon, pour le coût de l'opération, c'est 750 euros par œil, soit 1 500 euros pour les deux yeux. »

À l'annonce du tarif, j'étais soulagée. Je savais, d'après mes recherches sur Internet, que certains chirurgiens réclamaient pour ce type d'intervention jusque 1 000 euros par œil. Là, c'était moins cher et ma mutuelle prendrait en charge le tiers de l'intervention. Débourser d'un seul coup 1 500 euros est souvent difficile, mais, lorsque l'on fait le calcul du coût des lunettes, des lentilles et autres produits d'entretien, on obtient vite une équivalence et un réel confort.

« Voilà, Madame Girard, vous avez d'autres questions ?

— Non, ça ira, merci.

— Bon, eh bien, allons faire ces examens. »

En retraversant le couloir pour me rendre dans les salles d'examen, je repensais à ce que la jeune infirmière m'avait dit sur la possibilité que je ne puisse être opérée en raison de la trop grande minceur de ma cornée. Et si je ne pouvais pas me faire opérer de ma myopie ? Comment pourrais-je alors me transformer complètement ?

Le stress montait. J'avais les mains moites.

Je suis entrée dans une pièce plongée complètement dans le noir. J'ai placé ma tête dans un énorme appareil qui diffusait une lumière bleue, digne des plus grandes discothèques parisiennes. L'exercice consistait à ce que je fixe un point qui se transformait en ligne fluorescente verte et qui tournait ensuite à 180°. Quand je suis sortie de là, je ne voyais plus rien. Où plutôt si, je voyais tout en vert et bleu ! Cette sensation désagréable n'a duré heureusement que quelques minutes.

Ces mesures étant terminées, j'ai rejoint la salle d'attente où les quinze autres personnes étaient toujours dans l'attente. Si elles avaient eu le regard meurtrier, je peux vous assurer que je serais morte très vite, surtout lorsque l'infirmière m'a rappelée cinq pauvres minutes plus tard et m'a fait entrer directement dans le cabinet du praticien.

Le cabinet du Dr CR contrastait particulièrement avec tout le reste du service « Ophtalmo ». C'était une pièce très sombre, bordeaux et verte. Je me suis assise dans l'appareil de mesure en attendant le médecin.

Je le revois parfaitement passer la porte. Il était très grand, maigre et, lui, portait des lunettes. Blouse blanche, pantalon de velours rouge. Il était particulièrement froid et distant. Après un petit « bonjour » de courtoisie, il commença à m'ausculter.

« Bon, Madame Girard, ma collaboratrice m'a donné vos mesures et, d'après tous ces résultats, je peux vous opérer... »

J'étais soulagée...

« Mais, il y a quand même quelque chose qui me chagrine... »

J'étais stressée...

« C'est le fait que vous soyez passée directement par moi et non par votre ophtalmologue habituel, qui est un de mes amis proches. J'ai peur qu'il ne m'en veuille ; sans le consulter. »

J'étais dépitée ! Je n'en croyais pas mes oreilles !

Mais je ne me suis pas démontée. Je voulais changer. J'avais eu un rendez-vous rapidement, il était possible de m'opérer, il n'allait pas me faire ça !

« Écoutez, cher Monsieur, j'ai contacté le secrétariat du Dr B. pour un rendez-vous. Ce n'était pas possible avant huit mois. Ici, je l'ai eu en une semaine. Je veux être opérée. Le Dr B. comprendra parfaitement que vous étiez disponible pour m'opérer et lui pas. S'il ne comprend pas, tant pis pour lui. Je n'ai pas à me justifier et ne suis pas attachée à un seul médecin. Maintenant, que décidez-vous ?

— Bon d'accord, je m'arrangerai, dit-il après une longue hésitation. »

De toute façon, là, s'il n'avait pas voulu, je crois que j'aurais pu lui « claquer le museau ». J'étais tellement motivée.

L'entrevue avec le Dr CR s'est poursuivie encore pendant près d'une demi-heure. Il m'a clairement expliqué la technique qu'il allait utiliser. Le lasik est une technique qui consiste à découper un lambeau cornéen, puis à appliquer le rayon du laser sur la cornée mise à nu. Il m'a expliqué que c'était un peu douloureux les jours qui suivaient l'intervention, mais qu'ensuite tout serait normal.

« Bon pour finir, Madame Girard, quand êtes-vous disponible ?

— Le plus rapidement possible.
— Jeudi prochain ?
— Ah ? Aussi vite ?
— Oui, bien sûr.
— Alors, je suis tout à fait d'accord. »

Je suis sortie de la clinique complètement surexcitée. J'étais hyper heureuse de pourvoir me faire opérer et surtout aussi rapidement. Mais, en même temps, j'étais stressée.

Et si j'avais fait une grosse bêtise ?

Jeudi 24 mai 2006, il est 14 h, je suis devant mon écran de PC, à mon travail. Je vais partir à l'hôpital dans quelques minutes. J'ai les mains moites, je transpire beaucoup.

J'arrive à Metz vers 15 h 30. J'ai rendez-vous dans une demi-heure. Mes parents sont venus me chercher et m'emmènent à la clinique. Je n'ai plus le droit de conduire, car je dois prendre plusieurs calmants.

Il est 16 h. Les médicaments font effet. Je suis particulièrement fatiguée et je n'ai qu'une seule envie, que ce soit terminé ! On descend au sous-sol de la clinique. Le laser se trouve derrière d'énormes portes blindées.

La collaboratrice du Dr CR vient me chercher dans la salle d'attente, jaune et blanche. J'enfile une blouse, les protections pour la tête et les pieds. Elle me met trois fois de suite du collyre anesthésique dans les yeux. Puis, je rentre dans la salle d'opération. Le laser est là, devant moi. C'est une énorme machine autour de laquelle se trouvent le chirurgien et toutes les infirmières, tous de vert vêtus. Je m'allonge sur la table et pose mes mains sur mon ventre. J'ai l'estomac noué.

Le chirurgien m'explique alors qu'il va me placer un écarteur pour que je ne puisse pas cligner de l'œil, qu'il va ensuite préparer l'intervention et qu'enfin, il me placera sous le laser. À ce moment-là, l'intervention durera une minute.

Franchement, je ne suis pas rassurée, mais motivée. Je me dis que c'est le passage obligé pour changer et pour me débarrasser de ces saletés de lunettes.

Je suis allongée, la gorge nouée, les mains serrées. Le Dr CR me place sous la machine :

« Vous voyez le point rouge ?

— Oui.

— Bon, vous allez fixer ce point et surtout vous ne bougez pas.

— Vous êtes prête ?

— Oui.

— C'est parti. »

Le chirurgien me tient la tête, et décompte le temps de l'opération.

« C'est bien, ne bougez pas, reste trente secondes, quinze secondes… »

L'opération est complètement indolore. En revanche, qu'est-ce que ça sent le cochon grillé. Forcément, c'est la cornée qui brûle !

« C'est presque fini, dix secondes… cinq secondes… fini. »

Ouf, je respire.

Le médecin retire le laser au-dessus de moi. Je ne vois rien tout de suite. Il m'apporte les derniers soins. Je peux me mettre assise. Je souffle et me détends. C'est impressionnant. Indolore, mais impressionnant.

Je sors de la salle d'opération. À l'extérieur, maman m'attend, inquiète.

Les infirmières me font alors asseoir dans la pièce à côté et m'expliquent le déroulement des jours prochains et le traitement que je vais avoir. Je reverrai les infirmières le lendemain matin pour voir si tout se déroule comme il se doit.

Je sors de la clinique avec ma mère. Je suis épuisée, physiquement et nerveusement. Je n'ai pas mal du tout. Je dois garder le pansement sur l'œil jusqu'au coucher.

Lors de la visite de contrôle le lendemain matin, tout se déroule pour le mieux. Mon œil gauche, opéré la veille, voit parfaitement, distinctement. C'est phénoménal et je n'ai toujours pas mal. Par contre, j'ai de gros soucis d'équilibre, mes deux yeux n'étant pas corrigés de la même manière.

Je me rappelle que c'est le vendredi après-midi que les premiers picotements sont apparus. La cicatrisation devait durer deux jours et demi. Le samedi a été particulièrement difficile. Je ne supportais pas la moindre lumière. C'est comme si j'avais de manière permanente un grain de sable dans l'œil mais, le lundi matin, je n'avais plus aucune douleur et je voyais parfaitement de l'œil gauche. Quelle joie ! Maintenant, il fallait que je fasse l'œil droit.

La seconde opération a eu lieu quinze jours après la première intervention et les choses se sont déroulées exactement de la même manière que la première fois. Avec juste beaucoup de stress en plus. La première fois, j'avais eu l'effet de surprise mais, la seconde fois, je savais comment tout allait se passer.

Aujourd'hui, j'ai une vue parfaite, avec 10/10 à chaque œil. Je me demande même si un jour j'ai porté des lunettes et des lentilles. J'ai retrouvé ce confort, cette aisance, ce bonheur de pouvoir faire n'importe quoi, sans être gênée par ces problèmes de vue.

Certes, je reste prudente, et je sais que ma myopie pourra à nouveau évoluer. Mais si tel devait être le cas dans les années à venir, j'aurai de nouveau recours à l'opération.

La chirurgie esthétique

Comme je l'ai expliqué précédemment, suite à ma perte de poids, ma peau a été très distendue au niveau des fesses et des cuisses. Seule la chirurgie esthétique pouvait rattraper les effets néfastes de mon amaigrissement. J'aurais évidemment voulu qu'une seule intervention soit suffisante, mais malheureusement la rapidité de ma perte de poids et « la configuration des lieux » ont conduit le corps médical à m'imposer trois opérations, avec un certain laps de temps entre chacune d'elles.

▸ Ma première opération fut une liposuccion des mollets le 15 juin 2006.

J'avais des mollets dignes des plus grands rugbymen français, mais avec les muscles en moins. J'avais deux véritables poteaux. Comme je le disais au début de mon récit, on ne pouvait distinguer la cheville du reste de ma jambe. J'étais faite ainsi, avec des mollets de catcheur américain et rien, ni régime, ni sport à outrance, n'aurait pu changer quoi que ce soit.

C'est le Dr S. qui m'a opérée, seulement trois semaines après mon opération de la myopie. Femme d'une trentaine d'années, cheveux courts, jeans, baskets, je l'ai trouvée très ouverte et sympathique. Je l'ai beaucoup appréciée. Il était naturellement hors de question que je retourne voir ce goujat de chirurgien que j'avais consulté avant mon régime.

Le Dr S. avait décidé de pratiquer une liposuccion pour remodeler les mollets et ainsi leur donner un galbe harmonieux avec le reste de ma jambe.

L'intervention s'est passée en ambulatoire. Étaient juste présents dans la salle d'opération une infirmière et l'anesthésiste, cette fois, tous de blanc vêtus. L'ambiance était feutrée, presque chaleureuse. Je me suis allongée sur la table. L'anesthésiste, qui feuilletait mon dossier médical, remarqua que ma dernière intervention était particulièrement récente :

« Madame Girard, je vois que vous avez été opérée de la myopie, il y a trois semaines, c'est bien cela ?

— Oui, c'est bien cela, cher Monsieur.

— Eh bien, le moins que l'on puisse dire, c'est que vous êtes motivée, dit-il dans un éclat de rire.

— Oh, et je vois que vous avez perdu beaucoup de poids.

— Oui, en effet.

— Eh bien ! je vous tire mon chapeau, Madame, on ne voit pas beaucoup de personnes comme vous. »

Cette dernière remarque me toucha énormément, et je me suis endormie avec cette pensée particulièrement agréable.

L'intervention s'est très bien déroulée. La chirurgienne m'a retiré 500 g de graisse sur chaque mollet. Je n'ai pas vu d'amélioration du galbe de mes mollets tout de suite. Pour une telle opération, les premiers résultats sont visibles seulement au bout d'un mois et les résultats définitifs entre trois et neuf mois. C'est long et fastidieux. Moi qui n'ai aucune patience, je peux vous assurer que j'ai douté de l'intérêt de l'opération plus d'une fois.

Aujourd'hui, les résultats sont satisfaisants. Alors, évidemment, je n'ai pas les mollets fins des mannequins anorexiques brésiliens, mais j'ai un beau galbe et on distingue bien mes mollets de mes chevilles. Je continue toujours les massages et le sport pour les muscler et les affiner au maximum.

▶ Une liposuccion des fesses et des cuisses le 29 mai 2008 et la lipectomie en date du 19 décembre 2008.

Même si j'étais satisfaite de ma première opération, l'idée de me faire enlever le surplus de peau que j'avais sur les fesses et les cuisses persistait. J'ai donc consulté dans cet objectif le Dr A., le Dr S. ayant cessé toute activité.

Le Dr A. m'accueillit dans sa grande salle d'auscultation entièrement blanche. Au milieu de la pièce trônait un beau bureau ancien. La table d'auscultation se trouvait derrière un grand paravent beige.

Après avoir expliqué mon parcours au Dr A., ce dernier me fit déshabiller et commença à tirer la peau de mes hanches, mes cuisses et mes fesses, un peu dans tous les sens.

« Madame Girard, je suis un peu perplexe, parce que vous n'avez rien à enlever au niveau des hanches, mais au niveau des cuisses et des fesses, vous avez un surplus bien plus important sur le côté droit que sur le côté gauche.

— Et cela signifie, Docteur ?

— Ben cela signifie, chère Madame, que si je vous opère, il faudra le faire au moins en deux fois et que, compte tenu de la configuration de votre peau, vous garderez des cicatrices en zones visibles. Seriez-vous prête à cela ?

— Oui. Je préfère avoir des cicatrices, qui de toute façon s'atténueront avec le temps, plutôt que de garder cette peau morte.

— Très bien. Donc je vous propose dans un premier temps une liposuccion de ces zones, pour voir comment la peau se rétracte et, ensuite, dans les six mois qui suivent, une lipectomie, c'est-à-dire une "coupe" de la peau en surplus.

— C'est parfait, Docteur. »

Mon premier rendez-vous fut pris pour la liposuccion le 29 mai 2008.

L'intervention se déroula exactement dans les mêmes conditions que ma liposuccion des mollets. La douleur fut supportable et je pus constater très rapidement que mes fesses avaient un galbe qu'elles n'avaient jamais connu. En revanche, pour mon surplus de peau, même si j'ai pu observer une légère rétractation, il était toujours bien présent sur mes cuisses et les fesses.

Mon second rendez-vous fut pris pour la lipectomie le 19 décembre 2008.

La veille au soir, j'étais dans ma chambre rose clair de cette clinique de Thionville. J'étais un peu anxieuse. Cette opération ne pouvait en rien être comparée aux deux précédentes. J'étais prévenue : elle devait être bien plus lourde et douloureuse. J'avoue que, dans ces derniers moments, seule sur mon lit d'hôpital, l'idée de me sauver à toutes jambes m'est venue à l'esprit.

Puis le Dr A. est entré.

« Bonsoir Madame Girard, comment allez-vous ?

— Un peu angoissée.

— C'est normal, mais tout se passera bien. Je vais vous faire les dessins pour demain matin. »

Le Dr A. saisit un énorme marqueur noir et commença à repérer tous les endroits qui allaient être coupés. Il n'avait pas d'autre choix, pour remonter la peau tombante de mes fesses, que de pratiquer une immense incision tout autour de ma taille.

Seulement, avec ces dessins, nous constations tous les deux l'ampleur du travail que le Dr A. aurait à accomplir le lendemain.

« J'ai vraiment du marqueur partout, lui dis-je en souriant.

— Oui, Madame Girard, c'est impressionnant. Êtes-vous bien certaine de vouloir cette opération ?

— Oui, Docteur, je le veux.

— Très bien. Donc, à demain. »

Je suis rentrée dans la salle d'opération vers 7 h 00 du matin. J'étais bien, tranquille, sous l'effet des médicaments. Je me trouvais sur la table, ventouse cardiaque sur la poitrine. Je me souviens juste de quelques mots de l'anesthésiste avant d'avoir sombré pendant plusieurs heures dans un trou noir.

Mon réveil fut un des moments les plus terribles de ma vie. Ma douleur a été atroce. J'avais l'impression d'avoir été coupée littéralement en deux. Chaque soin nécessitait l'intervention d'au moins quatre infirmières et le Dr A. était présent également. Être allongée sur le côté relevait d'une véritable épreuve de force. À chaque changement de pansement, j'étais proche de l'évanouissement.

Mais, malgré cette souffrance, les bandages, les saignements et les hématomes, je pouvais déjà sentir que ma peau, qui m'avait si longtemps empoisonné la vie, n'était plus là. Et cette idée aurait pu me faire supporter encore bien des tracas.

J'ai mis près de deux mois à reprendre une activité normale et près de quatre mois à reprendre mes activités sportives.

Aujourd'hui, je suis particulièrement satisfaite des résultats et, même si j'ai eu des passages difficiles, l'opération serait à refaire, je la referais. Merci Dr A.

Des retouches plus légères

D'abord, je devais m'occuper de mes problèmes de peau. Mais là, contrairement à tout ce que j'ai pu entreprendre pour me transformer, j'ai « juste » eu besoin de maigrir pour résoudre tous ces problèmes d'acné. Plus je diminuais mes réserves de graisse, plus ma peau s'asséchait et moins j'avais de boutons. De jour en jour, ma peau s'est assainie. Aujourd'hui terminé les séances de tortures devant le miroir. Fini les problèmes d'acné.

Constatant que ces soucis de boutons s'envolaient, j'ai décidé à ce moment de prendre un peu de couleurs et de soleil. Mon amaigrissement avait bien favorisé ma guérison acnéique, mais il m'avait aussi créé un teint plus que pâlot : un cachet d'aspirine. Avec le régime, j'étais plus blanche que blanche. J'aurais pu faire la promotion de n'importe quelle lessive.

J'ai testé plusieurs techniques pour prendre des couleurs. La première, c'est celle de l'autobronzant. Le résultat a été surprenant. J'avais effectivement un joli hâle sur le visage, mais aussi de grosses marques blanches sur tout le corps et, surtout, j'avais les mains orange vif. Vous me direz certainement que je n'avais pas étalé suffisamment le produit et que je ne me suis pas suffisamment lavé les mains après utilisation. Mais cette expérience m'a fait prendre conscience que j'étais complètement novice en produits cosmétiques et en matière d'esthétisme et qu'il était donc préférable de recourir pour n'importe quelle retouche à une professionnelle.

Je voulais un teint bronzé, je me suis donc décidée à faire quelques séances d'UV dans un centre spécialisé. Je me glissais dans cet énorme caisson blanc hermétique, et c'était parti pour cinq à vingt minutes. Même si je voulais gagner en couleurs, je ne l'ai jamais fait de manière inconsidérée. J'ai toujours respecté les temps sous les lampes, en commençant doucement et en prolongeant les séances progressivement. Je ne voulais pas me transformer et ensuite récupérer en échange un cancer de la peau.

J'ai pris énormément de plaisir en faisant des UV. C'étaient mes petits moments rien qu'à moi. Une fois sous les lampes, je mettais en route mon MP3 et je plongeais dans ce monde de néons fluorescents et chauds. J'étais bien, détendue, je ne pensais à rien d'autre. Je prenais juste soin de moi, et ça, je ne l'avais jamais fait jusqu'alors.

Autre étape, le changement de look

Mon look passait d'abord par ma coupe de cheveux. Je ne pouvais plus supporter mes cheveux longs constamment attachés en queue de cheval. Ils étaient plaqués, tirés en arrière, ce qui, selon Olivier, me donnait un air sévère. Mes cheveux étaient si souvent attachés qu'ils gardaient la marque de l'élastique. Ils étaient secs, rebelles et fourchus.

Je me suis décidée à prendre rendez-vous avec ma coiffeuse visagiste. Miss T. est une jolie jeune femme d'une trentaine d'années. Dynamique et affable, elle a le coup d'œil et le coup de main. Rapide et précise, elle sait donner une forme impeccable à une tignasse immonde.

« Alors, Madame Girard, que fait-on aujourd'hui ? On coupe les pointes comme d'habitude ?

— Non, surtout pas. Je veux que vous me transformiez. Je veux changer complètement de coupe. Vous avez carte blanche. Faites ce que vous voulez, en restant toujours dans le "classique", mais je veux ressortir de chez vous en étant une autre femme. Je veux changer de look. »

Il y eut un blanc. Miss T. écarquilla les yeux. Elle était scotchée. Elle, qui insistait à chacun de nos rendez-vous pour me faire quelque chose de différent, de plus jeune, de plus branché, elle n'en revenait pas.

« Oh mais avec joie ! Vous n'allez pas être déçue, je vous assure. Je meurs d'envie de faire quelque chose de magnifique avec vos cheveux. Ils sont tellement épais.

— Je sais bien. C'est pour ça que je vous demande ça, à vous. J'ai complètement confiance, allez-y franchement. »

Miss T. était tout excitée. Elle courut presque pour aller chercher sa grande table à roulettes, à trois niveaux, sur laquelle étaient posés tous ses instruments. Elle revint vers moi en sautillant et en répétant comme le personnage pour enfants Oui-Oui, trois fois de suite : c'est *cool*, c'est *cool*, c'est *cool* !

J'étais assise dans le grand fauteuil noir du salon, enrubannée dans une espèce de peignoir bleu. Je baissais la tête et je fermais les yeux. L'idée que j'avais pu faire une bêtise à ce moment-là ne me traversa même pas l'esprit. Miss T. empoigna sa paire de ciseaux d'une main, son rasoir de l'autre.

Et c'était parti…

Ça volait dans tous les sens. C'était un véritable tourbillon. Miss T. coupait, épaississait, rasait. Aucun tif ne résistait. Un gros tas de cheveux se formait au sol. Les regards des autres clients étaient tous tournés vers moi, tant sa démonstration était impressionnante. Miss T. courait tout autour de moi. Elle attrapait une paire de ciseaux, en changeait, reprenait la tondeuse, basculait de gauche à droite, et de droite à gauche, ma grosse touffe de cheveux avec sa pince bleue.

Puis Miss T. marqua un temps de pause, essoufflée. Elle se pencha vers ma droite, ferma un œil pour quelques mesures et… hop reprit de plus belle le débroussaillage en bonne et due forme.

Miss T. avait bien pris soin de refermer le miroir pour que je ne puisse pas me voir pendant toute la durée de son intervention. Alors, quand elle l'entrouvrit, que je pus enfin relever la tête et ouvrir les yeux, je fus complètement saisie par l'image que le miroir me renvoyait :

« Oh mon Dieu ! C'est à peine croyable. Ça ne peut pas être moi. Je ne me reconnais pas.

— Mais si, Madame Girard, c'est bien vous, je vous assure.

— C'est incroyable. »

Je balbutiais. J'étais sciée sur place. Je pouvais voir une belle jeune femme avec les cheveux à peu près à la hauteur du menton, dégradés sur les deux côtés. Ils étaient lissés et soyeux avec de magnifiques reflets blonds. Je pouvais voir enfin un visage affiné, bronzé, affichant un joli sourire et avec une coupe jeune et moderne. Je n'oublierai jamais cet instant. Je crois que c'était la première fois de ma vie que je pouvais tolérer ma propre image. Jamais je n'aurais pensé un jour pouvoir me voir comme ça et émettre seulement l'hypothèse, même pas de me trouver belle, juste celle de pouvoir me supporter.

J'avais les larmes aux yeux, et je ne savais plus trop quoi dire. Je balbutiais des mercis, mais rien de vraiment structuré. Miss T. était ravie, mais épuisée. Elle avait mis une telle énergie à me donner ce look, que cette expérience l'avait également anéantie.

En me relevant du fauteuil, une tonne de « poils » tomba à mes pieds. J'avais des cheveux partout et il fallut au moins trois passages avec le balai pour effacer mon scalp. En sortant du salon, je n'ai pu m'empêcher de faire une énorme bise à ma coiffeuse préférée. Sans rien dire, elle avait compris le sens de ce qu'elle venait de faire pour moi.

Il fallait que je fasse aussi quelque chose pour mes mains.

J'avais les ongles très courts, rongés, cassés. Pour une femme, avoir des ongles soignés est un véritable prolongement de la féminité.

Je me suis donc décidée à pousser la porte d'un institut spécialisé pour la pose de faux ongles. Je voulais quelque chose de classique, mais qui ait une certaine classe :

« Montrez-moi vos mains s'il vous plaît, Madame, me dit Julie, l'esthéticienne.

— Oui, je sais, ce n'est pas très soigné.

— Oh, ne vous inquiétez pas, j'ai vu bien pire.

— Vous pouvez faire quelque chose ?

— Oui, je vous propose de vous poser une *french manucure.* »

La *french manucure* est une technique qui consiste à réaliser un décor d'ongle, sur l'ongle lui-même ou sur une capsule, de couleur variable (mais généralement blanche pour la *French*). Cette technique est dite permanente car sa durée est d'au moins trois semaines, sans altération, ni décollement, et permet à la cliente d'exercer une activité tout à fait normale.

Rester active et continuer à faire du sport étaient des conditions primordiales pour moi. Il était hors de question d'avoir des ongles soignés, mais handicapants pour l'ensemble de mes activités.

Julie, jeune femme dynamique, prit mes mains et, dans un véritable tourbillon d'outils divers, s'occupa méticuleusement de chacun de mes ongles. Au fur et à mesure des différentes techniques de limage, ponçage, vernis et autre crème, je voyais mes ongles se transformer et mes mains prendre une tout autre allure. À la fin de la séance, ils étaient transformés.

Aujourd'hui, j'ai les mains toujours soignées et des ongles qui forcent l'admiration de mon entourage.

Mon relooking passait aussi par un changement vestimentaire radical.

Je ne pouvais plus supporter ma garde-robe. Quand j'ouvrais mon armoire, il n'y avait que du noir et du blanc, sans aucune fantaisie et sans formes. Toutes mes fringues avaient pour but de me cacher et de dissimuler mes formes. Les vêtements que je portais étaient informes, larges et tristes.

J'ai donc commencé mon changement par virer toutes les fringues qui ne m'allaient plus et, ayant changé sept fois de garde-robe, je vous laisse imaginer tout ce que j'ai pu donner ou jeter. Je ne voulais rien garder de cette sombre période de ma vie. Enfin, pour mémoire, et pour être certaine de ne plus jamais retomber dans le naufrage de l'obésité, j'ai juste gardé cet horrible pantalon noir en taille 60, en toile légère. Pour l'anecdote, aujourd'hui, je rentre entièrement dans une seule jambe du pantalon.

Une fois que j'eus fait de la place dans mes armoires, j'ai pu me lancer à l'assaut des magasins. Et c'est vrai, là, je me suis lâchée. Je pouvais mettre tout ce que je voulais. Je choisissais des petits chemisiers colorés, des jeans serrés, des sous-vêtements osés, des chaussures à talons. Tout m'allait. *Basta* le moche et le noir. Bonjour les chemisiers moulants, les petites jupes sympas et les nuisettes satinées. Je faisais du 38 pour le haut et du 40 pour le bas. Je pouvais tout essayer. Jamais il n'a été aussi agréable de faire du shopping. Je me regardais avec plaisir dans les miroirs des cabines d'essayage. Je ne voulais plus en sortir tellement j'étais bien. Je n'avais plus qu'une seule limite : celle de ma Carte Bleue !

C'est lors d'une de ces séances de shopping, devant les immenses miroirs de ces magasins, que je me suis dit que ma métamorphose était terminée. J'étais devenue une femme, acceptable pour le regard des autres et pour le mien. Même si je savais que jamais je ne pourrais baisser ma garde, relâcher mon attention, et qu'il y avait encore un long chemin devant moi à parcourir pour que je puisse m'accepter totalement, et pourquoi pas même me trouver jolie, je pouvais me dire que j'avais réussi mon pari et maintenant pleinement m'épanouir.

Chapitre 11

UNE RENAISSANCE

Je suis née une seconde fois. J'ai redécouvert la vie. Ma métamorphose a sauvé ma famille, ma situation sociale, physique et morale.

Une renaissance familiale

C'est un magnifique petit bonhomme, mon fils. Il a les cheveux blonds châtain, les grands yeux bleus de sa maman, mais c'est tout le portrait de son papa. Il nous fait craquer avec sa jolie mimique en coin et sa manière, un peu bavouilleuse, de faire des bisous. Alexandre, c'est aussi un petit garçon brillant, intelligent et doté d'une personnalité et d'une sensibilité particulièrement marquées. Il comprend tout et possède déjà un vocabulaire important.

Alexandre vient d'avoir 2 ans, ce 10 août 2007. Nous avons loué pour les vacances d'été une maisonnette dans une petite ville de Vendée. Saint-Jean-de-Monts est un endroit particulièrement agréable, bordé de grandes plages de sable fin, léché par des embruns vivifiants, égayé par des marchés régionaux et par de nombreuses animations estivales. Notre petite maison, bleue et blanche, se trouve au cœur des pins. Elle est balayée continuellement par un léger vent.

Il fait doux. Nous profitons de la quiétude ambiante dans notre petit jardin. Olivier et moi sommes assis dans les fauteuils verts, buvant notre café, tandis qu'Alexandre patauge encore dans sa petite piscine verte et jaune. Notre bout de chou se raconte des dizaines d'histoires aquatiques avec sa copine tortue « Kiremulapat » et Monsieur le Poisson-Clown. Il éclabousse, rit aux éclats, nous interpelle pour être sûr que nous le regardons bien.

Alexandre, tout mouillé, accourt vite, pour que je l'enveloppe dans la grosse serviette éponge orange que je tiens à côté de moi. Alexandre se frotte, grimpe sur mes genoux et glisse sa tête encore tout humide dans mon cou. Puis, d'un seul coup, il se redresse et me fixe :

« Ça va mon Poussinou ? Tu n'as pas froid ?

— Maman ?

— Oui, mon bonhomme.

— T'es belle, Maman. »

À cet instant précis, je suis envahie par une telle émotion que je ne vois plus rien autour de moi, que mon fiston, cheveux en bataille, embobiné dans cette grosse serviette. Je ne peux plus rien dire, je pleure. Ces quelques mots m'ont transportée de joie. De lourdes larmes commencent à couler le long de mes joues rougies par cette effervescence de bonheur. Je ne peux rien faire d'autre que de serrer Alexandre très fort dans mes bras. Olivier, assis à côté de nous, assiste particulièrement ému à la scène.

Il faut de longues minutes pour que je retrouve pleinement mes esprits. Alexandre me lance des regards remplis d'amour et de tendresse. Je l'embrasse longuement sur le front. Mon petit bonhomme a compris qu'il vient de me toucher en plein cœur avec ces quelques mots. Il criait à son papa :

« Elle pleure, maman, elle pleure. »

Mon mari répond :

« Oui mon bonhomme, c'est parce que maman t'aime très fort. »

Je suis belle aux yeux de mon fils, je ne peux pas espérer une plus belle récompense. Pouvoir juste me dire que je pourrai aller le chercher à l'école, sans qu'il ait honte de moi, est un bonheur immense et indescriptible. Cette vision que j'ai eue, celle qui a tout déclenché chez moi, je ne l'ai plus jamais eue depuis cet instant magique. Je ne me vois plus être comme cette maman bouleversée, touchée de plein fouet par le mépris de son enfant. Je n'ai plus cette épée de Damoclès au-dessus de la tête.

Désormais, je peux vivre avec cette idée merveilleuse que mon fils est fier de sa maman. Évidemment, à moi maintenant de faire en sorte qu'il puisse continuer à me trouver belle et continue à être fier de moi.

Maigrir comme je l'ai fait a été rassurant pour mon couple.

Lorsqu'Olivier m'a connue, j'étais déjà bien largement en surpoids. D'ailleurs, j'avais abordé la question de mon poids dès notre première rencontre. Il m'a acceptée comme ça et il n'a jamais cessé de m'aimer, même quand j'étais devenue cette grosse chose informe après ma grossesse. Pourtant, je reste intimement persuadée que, si je n'avais pas maigri, mon obésité aurait fini par détruire notre couple. Sûrement pas dans l'immédiat, mais dans un avenir plus ou moins lointain.

J'en suis convaincue tout d'abord parce que mon obésité me détruisait physiquement, mais surtout moralement. Combien de temps mon mari aurait-il supporté mes crises de larmes et mon mal-être permanent ? Combien de temps aurait-il pu supporter mes refus de me montrer nue devant lui, ou mon insistance pour éteindre les lumières avant de faire l'amour ? Combien de temps aurait-il pu supporter mon agressivité lorsqu'il abordait le sujet ?

J'en suis convaincue également parce que, même si Olivier est le plus adorable des maris, il n'en demeure pas moins un homme. Et toutes les femmes savent qu'un homme aime qu'une femme prenne soin d'elle et qu'elle soit sexy. Prétendre le contraire serait hypocrite. Or, à mon sens, l'image que je renvoyais, obèse, était plus qu'éloignée des clichés de la femme ayant du sex-appeal. Les grosses qui adoptent ce genre d'attitude sont d'ailleurs généralement classées dans la catégorie « gore » des films pornographiques ou font l'objet de diaporamas humoristiques *trash* que l'ont reçoit sur son « Outlook » au bureau. Et je ne voulais pas être classée parmi les « grosses cochonnes ».

Maigrir a été, sur ce plan… jouissif. J'ai pu enfin assumer pleinement mon rôle de femme et offrir à Olivier une palette beaucoup plus étendue de plaisirs, de positions et d'émotions. J'ai pu aussi me faire une garde-robe de sous-vêtements plus coquins les uns que les autres et en profiter avec lui.

Au-delà même de cet aspect « sensuel », Olivier n'aurait pas continué à s'afficher longtemps avec cette femme que j'étais. Lui, futur huissier à l'époque, responsable Contentieux aujourd'hui d'un grand groupe immobilier, beau, rasé de près, portant un léger parfum corsé, costume bleu et cravate rouge flamboyante, tenant la main d'une grosse, même juriste, affublée d'un jogging noir, cheveux en arrière et lunettes sur le nez, lors du grand dîner annuel de la société. C'eût été une grave faute de goût, vous ne trouvez pas ?

Une renaissance à travers le regard des autres

Qu'est-ce que ce regard des autres peut être terrible quand on est obèse ! On le redoute plus que tout. On s'empêche de vivre à cause du regard des autres. On s'habille en noir de peur que l'on remarque vos bourrelets, on évite d'aller à la piscine pour ne pas être cataloguée comme la baleine du coin, ou encore, on évite de manger à la terrasse d'un restaurant pour ne pas être considérée par les passants comme une grosse truie. Le regard des autres est inquisiteur, blessant, oppressant quand on est gros.

En revanche, qu'est-ce que ce « regard des autres » lorsque l'on a maigri et que l'on s'est transformé comme je l'ai fait ?

Il peut être indifférent. Les gens vous croisent normalement sans vous dévisager des pieds à la tête. Ils ne se retournent pas sur vos pas. Ils n'ont pas ce rictus idiot aux lèvres et ce bête gloussement lorsque vous quittez la pièce. Ils vous traitent d'égal à égal, sans se poser la moindre question.

Pour moi, découvrir cette indifférence dans le regard des autres a déjà été une renaissance. Ne plus me faire remarquer par mon obésité et engager des relations sociales, juridiques évidemment, commerciales même, a été une grande victoire. Je pouvais traiter d'égal à égal avec mon prochain, sans que mon poids ne revienne constamment sur la table. Un exemple ? Pouvoir participer avec tous les collègues à une sortie « karting » organisée par la société. Je n'avais plus à refuser, de peur que le kart ne supporte pas mon poids.

Le regard des autres peut être admiratif et, dans ce cas, je vous prie de croire que c'est particulièrement plaisant de voir leur réaction.

Toute ma famille et mes amis ont été stupéfaits du résultat. Certains ont été véritablement scotchés de ma métamorphose et mes « vrais » amis m'ont fait des compliments particulièrement touchants.

Xavier, ami de jeux d'Olivier, lui, d'habitude si discret, m'a dit :

« Ah, mais c'est hallucinant. Qu'est-ce que tu es belle, je n'en reviens pas. »

Je me souviens aussi des petits mots laissés par des copains sur le site que j'avais créé pour Alexandre. À cet endroit, les internautes pouvaient consulter les photos de notre petite famille, et laisser un petit message.

Quand ils ont vu mes photos en ligne, voici les quelques lignes qu'ils m'ont adressées :

Mathieu nous a écrit : « Dites la maman et le bébé, va falloir penser à arrêter de changer constamment, ça devient difficile à suivre tout ça à force. »

Sandra a noté : « Tu pourras dire à ta maman que la féminisation lui réussit assez bien mais que maintenant elle peut arrêter de mincir sinon on va plus la voir. »

Magali a envoyé : « Chalut Alexandre, eh tu pourras dire à maman qu'elle a vraiment fondu et qu'on a du mal à la reconnaître mais elle doit se sentir tellement bien. »

Les « vrais » amis sont heureux de votre réussite et ils savent vous le montrer sans arrière-pensées. Les autres amis, en revanche, peuvent avoir une attitude très différente. Tel a été le cas d'un de mes amis d'enfance, Victor.

C'était le jour de son mariage en août 2006. Je n'avais plus croisé Victor et sa moitié depuis une soirée de septembre 2005, quelques jours après le début de mon régime. J'avais une légère rancœur contre lui, ayant appris, par une amie, que ce monsieur avait été plus qu'indélicat en parlant de moi lors de cette fameuse soirée.

Vous pensez bien que, pour cette journée de fête, j'avais déployé tous les efforts possibles et imaginables pour « être la plus belle pour aller danser… danser » et surtout « pour lui clouer le bec… clouer ». J'avais enfilé une splendide robe de soirée d'un violet profond, décolletée et pailletée. Elle me collait au corps et mettait en valeur ma taille considérablement amincie. J'étais légèrement maquillée dans les tons rappelant ma robe. Pendait à mon cou, un joli collier « Murano », violet avec des reflets roses. Mon teint hâlé faisait ressortir un sourire éclatant.

Ne pouvant guère marcher longuement avec mes hauts talons, j'avais bien demandé à Olivier de me déposer en face de la mairie, où tout le cortège d'invités commençait à cuire sous le soleil en attendant l'arrivée de la mariée. Ma sortie de la voiture fut un instant absolument mémorable. La sensation fut enivrante. Tous ont tourné la tête vers moi. Les visages se sont figés et les voix se sont tue. Un blanc a parcouru l'assemblée réunie. Les parents de Victor, qui, eux aussi, n'avaient pas été toujours très délicats avec moi, étaient littéralement ébahis, scotchés par ma métamorphose.

Un peu gênée, mais particulièrement heureuse, au bras de mon époux, je me suis dirigée vers le futur marié pour le féliciter :

« Félicitations Victor, lançais-je, en lui faisant une bise.

— Euh, merci… balbutia-t-il.

— J'attends à côté de toi la mariée, d'accord ?

— Oui… enfin, elle n'est pas encore prête. »

Victor avait à peine terminé sa phrase, qu'au même moment, celle-ci fit son entrée. Et là, ce fut une apothéose, une revanche indescriptible sur la vie, une jouissance phénoménale. Madame Victor, qui n'avait pas été tendre avec moi sur mes problèmes de poids, avait pris au bas mot une trentaine de kilos. Elle était grosse et boudinée dans sa robe, son maquillage faisait ressortir ses bajoues et ses manches courtes laissaient apparaître ses bras cellulités. Même si je la plaignais sincèrement de connaître à son tour les problèmes de poids et la galère de l'obésité, je ne pouvais m'empêcher à cet instant d'écouter mes plus vils instincts et de lui crier intérieurement :

« Maintenant, tu vas comprendre ce que c'est l'obésité ! »

Victor était décomposé et le malaise était perceptible. Aucun cri, aucun confetti, des messages de félicitations sans originalité. Après la cérémonie, dans cette minuscule mairie de campagne, Madame Victor s'esquiva très vite dans la voiture qui devait la conduire à l'autel. Comme le reste, l'office religieux fut fade et monotone, et moi, au fond de l'église, sur mon banc à droite, je ne pouvais m'empêcher de savourer ce merveilleux retour de bâton.

Le regard de mon entourage professionnel a aussi été admiratif. Tous mes collègues ont été étonnés de voir ma transformation.

Quand je parle du travail, je pense déjà à mon patron. C'est un homme puissant, né dans le milieu des affaires. Directeur général de cette société de construction dans laquelle je travaille, il est aussi actionnaire de dix-sept autres sociétés et président d'un petit club de football belge.

C'est un homme terriblement marqué par les problèmes de poids. Alors en obésité morbide, il a franchi le pas de l'anneau gastrique et a perdu une trentaine de kilos. Mais son hygiène de vie fait qu'il a tendance à reprendre tout ce qu'il a perdu.

Touché de plein fouet par cette galère de l'obésité, mon patron m'a toujours manifesté sa sympathie et son admiration pour ma détermination et la réussite de mon amaigrissement.

Je retiens par exemple ce jour de mars 2006 où nous nous rendions ensemble chez un avocat réputé de Luxembourg pour traiter une affaire complexe de marché public.

Nous avions pris place tous deux dans son immense 4 × 4 noir, vitres teintées et intérieur cuir. Coincés dans les infernaux embouteillages des rues de Luxembourg, la conversation s'engagea :

« Qu'est-ce que tu as déjà changé depuis que tu es parmi nous. Tu as déjà perdu combien avec ton régime ?

— J'en suis à 37 kg.

— Eh ben, je te tire mon chapeau, Chris. Moi, j'ai dû mettre un anneau. J'étais en obésité morbide, tu sais ce que c'est ?

— Oui, bien sûr. Moi j'étais en obésité sévère.

— Mais tu faisais combien ?

— 119 kg au début de mon régime. J'ai pesé jusqu'à près de 130 kg à la fin de ma grossesse.
— Ah ouais quand même. Et tu n'as pas mis d'anneau ?
— J'y ai pensé, mais avoir un corps étranger dans le corps me faisait peur.
— Ah, oui. Moi, il ne faudrait pas que je mange ou que je boive comme ça. Mais je n'ai pas de volonté, comme toi.
— Oui, il faut faire attention.
— Et pour les fringues, comment tu as fait ?
— En fait, j'ai changé sept fois de garde-robe. J'attendais que les vêtements ne m'aillent plus du tout avant d'en changer.
— Oui, moi, je vais chez le tailleur. Tu n'y vas pas ?
— Non, c'est un peu cher pour moi.
— Euh... Oui, en effet, me répondit-il tout gêné. En tout cas, tu as bien fait de maigrir. Qu'est-ce que tu es bien comme ça... Bon, on arrive... »

Nos échanges peuvent sembler banaux, mais ils ont été francs et sincères. J'ai découvert un autre homme derrière le *big boss* que j'avais l'habitude de côtoyer et ses compliments m'ont beaucoup touchée.

Les réactions de mes collègues ont été très diversifiées.

En fait, tous mes collègues m'ont vu maigrir et me transformer progressivement, mais j'ai provoqué cette surprise et cette admiration lors de mon retour de vacances en septembre 2006 : j'avais continué de maigrir de quelques kilos, commencé les UV, et surtout complètement changé de coupe de cheveux et de look. C'est vrai que le changement était radical.

Le moins que l'on puisse dire est que mon retour a fait sensation. Certains ne m'ont pas reconnue au premier coup d'œil, beaucoup m'ont immédiatement félicitée de ce bouleversement d'apparence. D'autres m'ont demandé comment j'avais fait, si j'avais vu un relookeur. Leur étonnement quant à mon changement m'est allé droit au cœur et, même si certaines réflexions ont pu être maladroites, elles m'ont fait plaisir.

Je me souviens entendre un de mes supérieurs me dire :

« T'es comme Goldorak toi. C'est une vraie transformation. » Cela pouvait paraître vraiment maladroit. Mais, dans le fond, c'était sympa et je l'ai pris comme tel !

J'ai aussi eu droit à quelques réflexions teintées de jalousie de la part de mes collègues féminines ou à quelques propositions d'aventures de la part de mes collègues masculins. Ces derniers comportements méritent juste d'être ignorés.

Une renaissance sociale

De nombreuses études socio-économiques se sont intéressées à la manière dont les obèses sont considérés dans les sociétés développées et les différentes formes de discrimination dont ils sont l'objet. Il ressort de ces études un phénomène de stigmatisation qui se définit, selon le sociologue américain W. Cahnman, comme « le rejet et la disgrâce qui sont associés à ce qui est vu (l'obésité) comme une déformation physique et une aberration comportementale ».

Monsieur Jean-Pierre Poulain, maître de conférences en sociologie à l'Université de Toulouse-Le Mirail, membre du CERS (Centre d'Étude des Rationalités et des Savoirs), lors de sa conférence donnée à Agropolis Muséum le 5 juin 2002 intitulée « Comment arrêter l'épidémie », a brillamment exposé ce qui suit :

« (...) La stigmatisation devient un véritable cercle vicieux, lorsque la victime accepte, et considère comme normaux, les traitements discriminatoires qu'elle subit et les préjudices dont elle est victime. S'engage alors une dépréciation personnelle qui débouche sur une altération de l'image de soi. (...)

(...) Depuis le simple achat d'une place d'avion ou de cinéma, jusqu'au poids du regard esthétique qui pèse sur lui, l'obèse est dévalorisé, marginalisé, mis au ban de la société. L'obèse souffre dans les sociétés développées contemporaines de stigmatisation. (...)

(...) Les principaux travaux et analyses descriptives de la stigmatisation de l'obésité montrent comment un certain nombre d'attitudes négatives à l'égard des obèses peuvent se transformer en véritables discriminations et affectent les trajectoires sociales. Des liens statistiquement significatifs ont été mis en évidence à différents niveaux entre l'obésité et :

- *l'accès à l'enseignement supérieur,*
- *l'accès à l'emploi,*
- *le niveau des revenus,*
- *la promotion professionnelle,*
- *la vie domestique et l'accès et l'utilisation d'équipements collectifs.*

Ces attitudes négatives ne sont pas seulement le fait de la société civile, elles semblent également être présentes au cœur même de l'appareil médical. De nombreuses études, en effet, soulignent l'existence d'attitudes négatives à l'égard des obèses, de la part du personnel médical ou paramédical à l'intérieur des institutions de santé, ou encore chez les étudiants en médecine. Ces différents travaux montrent la perméabilité du milieu médical aux valeurs dominantes de la société (ici l'idéal de minceur) et l'influence déterminante de celles-ci sur les rôles professionnels des acteurs du système de santé. (...) »

Je ne me reconnais pas encore complètement dans la définition de la stigmatisation, simplement parce que mon obésité ne m'a pas empêchée d'accéder à un poste à responsabilité. Néanmoins, comme je vous l'ai longuement expliqué dans les chapitres précédents, je me suis sentie dévalorisée, mise au ban de la société pour un bon nombre de choses et ai supporté l'attitude plus que déplacée de certains médecins.

Alors oui, maigrir m'a fait reconnaître socialement. Je suis sortie de cette stigmatisation même partielle. Aujourd'hui, je peux aller au cinéma sans avoir le derrière coincé dans le fauteuil étriqué pendant deux heures, je peux conclure un prêt sans payer un surcoût à cause de mon obésité, je peux me présenter devant une boîte de nuit branchée en étant certaine que l'on ne m'en refusera pas l'entrée.

Aujourd'hui, je peux passer n'importe quel examen médical sans avoir peur de ne pas rentrer dans leur blouse bleue, sans craindre que la table d'auscultation ne s'écroule sous mon poids ou sans imaginer que le scanner puisse être trop petit pour moi. Je peux même me présenter devant n'importe quel médecin sans qu'il se doute que j'étais une obèse sévère. D'ailleurs, lors de différents examens, certaines réflexions de leur part m'ont profondément amusée :

Au cours d'une visite de contrôle chez un cardiologue, ce dernier collait sur mon torse des ventouses pour effectuer l'examen. Mais ces dernières ne tenaient pas.

Le cardiologue s'exclama alors :

« Non mais regardez, il n'y a pas assez de graisse là pour faire tenir les ventouses ! Il faut manger davantage Madame Girard. »

De même, chez un médecin du sport. J'avais une inflammation chronique de l'épaule suite à une mauvaise chute à mon cours de karaté. La seule solution possible était de pratiquer des infiltrations. Or lors de ces deux rendez-vous pour ces infiltrations, le médecin avait beaucoup de mal à faire passer l'aiguille dans l'articulation de l'épaule :

« Oh, Madame Girard, je ne vais pas y arriver, vous êtes trop maigre. »

Quelle belle revanche, vous ne trouvez pas ?

Une renaissance physique et morale

Quand on maigrit, on retrouve son corps. Depuis que je suis mince, tous les soucis de santé liés à mon surpoids se sont envolés. Fini les problèmes articulaires, les maux de dos ! Je n'ai plus de mauvais cholestérol et de sucres dans le sang. Fini d'être essoufflée quand je grimpe les escaliers : maintenant je peux les gravir quatre à quatre. Fini aussi mon hypertension et ses conséquences !

Maigrir m'a permis de résoudre certains problèmes de santé, mais ça me permet aussi pour l'avenir de me prémunir contre toutes les maladies cardio-vasculaires, respiratoires, ou encore d'éviter toutes les complications hépatobiliaires (maladies du foie) liées à l'obésité.

Enfin, point pour moi particulièrement important : si Olivier et moi décidons d'avoir un second enfant, je serai en bien meilleure santé pour accueillir une grossesse.

Le fait d'avoir maigri me permet également d'envisager la réalisation d'un bon nombre de projets qui me trottent en tête depuis pas mal de temps. Psychologiquement, maigrir m'a libérée. Grosse, jamais je n'aurais envisagé de passer mon permis moto, de tenter un saut en parachute, de partir en randonnée hydro speed avec des copines dans les Alpes.

Tous ces trucs un peu fous, je les ferai un jour. Le seul obstacle n'étant plus ici mon poids, mais le véto familial, qui pour moi est beaucoup moins insurmontable que pouvait l'être mon obésité.

Chapitre 12

LA PROTECTION DU POIDS OBTENU

Vous pensez que maigrir est difficile ? Vous cherchez à savoir comment perdre ces 15 kg qui vous empoisonnent la vie ? Rassurez-vous, si ce n'est que 15 kg, cela est non seulement possible mais facile, oui, facile, j'ai perdu mes 15 premiers sans frustration, d'un seul jet, sur un petit nuage ; j'en avais beaucoup à perdre ! De plus, aujourd'hui, la solution que j'ai suivie, celle que je vous ai détaillée dans ce livre, elle existe et pour le très grand nombre de femmes surtout qui l'ont utilisée, c'est presque devenu LA solution, une nouvelle arme thérapeutique dans un arsenal si désespérément vide. Moi-même, à l'époque où je galérais, j'ai longtemps cherché dans le foisonnement des propositions existantes avant de tomber sur la méthode Dukan.

Mais le plus important n'est pas de maigrir même si, aujourd'hui, cela seul vous intéresse et vous mobilise. Le plus important, c'est, une fois le travail fait, de conserver le fruit légitime de son effort et de ne pas regrossir. Pour les personnes comme moi qui avaient beaucoup de poids à perdre et dont la perte a changé leur vie, il est bien plus difficile de réintroduire des aliments après une période de restrictions que de gérer cette période de restrictions en elle-même. Faire en sorte que le poids perdu ne se reprenne pas est bien plus délicat que l'amaigrissement en lui-même.

En même temps, la phase de stabilisation du poids perdu est une étape absolument primordiale pour conserver son poids tout en retrouvant une spontanéité alimentaire et une alimentation plus variée ou « normale ». Tous les régimes se focalisent sur la phase d'amaigrissement, mais oublient d'intégrer cette période de stabilisation. C'est une erreur, selon le Dr Dukan qui est catégorique : « Maigrir sans stabiliser son poids est pire qu'une erreur, c'est une faute. Il vaut infiniment mieux ne pas maigrir que de maigrir et regrossir. En suivant ce classique aller-retour, on n'a pas perdu de poids mais on a donné au corps et à ses métabolismes le temps et l'occasion de développer ou de renforcer une résistance aux régimes. » La stabilisation est donc une obligation intégrée de la méthode Dukan et, à mon avis, l'une des causes de l'engouement qu'elle suscite. Avant lui, on n'y pensait même pas et celles et ceux qui cherchaient à maigrir repoussaient à plus tard cette difficulté, n'ayant pas même espoir d'y parvenir tant les expériences de tous les régimeurs s'accordaient sur le point que la perte de poids ne tenait pratiquement jamais. J'ai été de celles-là, je ne voulais pas même y penser car je ne voulais pas ébranler ma motivation. Et j'avoue que quand j'ai lu les livres du Dr Dukan et surtout entendu les témoignages sur le Net de tous les régimeurs qui parlaient avec émotion et gratitude de leur maintien, c'est peut-être un des éléments forts de ma décision, de ma mobilisation et de l'actuelle confiance en l'avenir de mon poids.

Aujourd'hui, je suis arrivée à mon poids désiré, en mai 2006. J'étais à 74 kg pour 1 m 75. J'avais perdu 45 kg. J'avais réussi mon pari. Mon objectif était atteint. Je pouvais enfin commencer à stabiliser mon nouveau poids.

Mais qu'est-ce que cette phase de stabilisation exactement ?

En fait, autant que je le sache et à travers toutes mes lectures et les expériences croisées de régimeuses rencontrées, je n'ai jamais eu connaissance d'un plan de stabilisation dans aucune méthode avant de découvrir celle du Dr Dukan. J'ai, comme tout le monde, lu des intervenants parler de stabilisation mais qui se contentaient d'en parler sans dire comment s'y prendre. Et c'est probablement dans cette suite à son régime que la méthode prend sa vraie dimension.

Le Dr Dukan insiste particulièrement sur l'importance cruciale de son plan de stabilisation. C'est une période ABSOLUMENT INDISPENSABLE. Si l'on ne stabilise pas son poids, on s'expose à reprendre non seulement tous les kilos perdus, mais aussi des kilos supplémentaires, et ce en un minimum de temps et quel que soit le régime.

Dans son ouvrage, le Dr Dukan nous livre son plan de protection définitive du poids si chèrement obtenu. Il lui consacre les deux dernières phases de sa méthode. Attaque et croisière sont élaborées pour parvenir au juste poids, la troisième et la quatrième pour le protéger. La troisième, dite de consolidation, qui est une sorte d'atterrissage et un sas de transition entre le tout régime et l'alimentation normale. La quatrième, la stabilisation définitive, assure le très long terme dont on sait qu'il est sujet à des rencontres difficiles, des stress, des déplaisirs, des souffrances et que toutes ces émotions ou états affectifs négatifs viendront chercher compensation dans les réserves de plaisir sensoriel faciles offertes par l'aliment. Ce qui est totalement nouveau, c'est d'avoir un tuteur de comportement intégré qui permette d'être assuré d'avoir une réponse anticipée face à la corrosion du quotidien. C'est ce qui, dans la méthode Dukan, s'appelle « guérir du surpoids ».

La troisième phase du régime Dukan : la phase de consolidation

Le Dr Dukan commence par fixer la durée de cette période de transition. Elle se calcule en fonction du poids perdu, sur la base de dix jours de consolidation par kilo perdu. Pour qui a perdu 5 kg, la durée de cette phase sera de 50 jours, 100 jours pour qui a perdu 10 kg. C'est un petit calcul tout simple. Pour moi, ce jour de mai 2006, je savais donc que j'entrais dans une phase de 450 jours de stabilisation (45 kg × dix jours), soit environ quinze mois de stabilisation pour un amaigrissement qui s'étale sur huit mois.

Le Dr Dukan liste ensuite les aliments autorisés pendant cette période de consolidation, ainsi que les principes à respecter. Pour reprendre ses termes, ces principes ne sont pas *« interchangeables »* et *« non négociables »*.

Pendant cette période, on peut bénéficier, à volonté, tous les jours, des aliments protéinés du régime d'attaque et des légumes du régime de croisière. Protéines et légumes (PL) constituent un socle alimentaire de 100 aliments plus le son d'avoine qui restera totalement autorisé pour le reste de la vie toujours assortis de cette mention magique : À VOLONTÉ.

Mais, en plus, le Dr Dukan réintroduit les aliments suivants :

— *1 portion de fruits par jour* : le fruit, une des meilleures sources connues de vitamine C et de carotène. Tous les fruits sont autorisés à l'exception de la banane, du raisin, des cerises et des fruits secs.

— *2 tranches de pain complet par jour* : le Dr Dukan déconseille la consommation de pain blanc. C'est un aliment dénaturé par son mode de fabrication, pétri dans une farine dont le blé a été artificiellement séparé de son écorce, le son. Cette séparation facilite beaucoup la fabrication de farines industrielles, mais le pain blanc qui en provient est un aliment dopé, bien trop facile à assimiler. Il est préférable de consommer du pain complet, mais assimilable, dont le goût est tout aussi agréable. Le pain complet contient une proportion naturelle de son, qui est un allié de tout premier ordre dans cet objectif de garder la ligne, puisque non digéré.

— *Une portion de 40 g de fromage par jour.*

Mais quel fromage choisir et en quelle quantité ?

Le Dr Dukan recommande une portion de 40 g de tous les fromages à pâte cuite tels que le gouda, le fromage de Hollande, la tomme de Savoie, le reblochon, le comté, et déconseille encore les fromages à pâte fermentée comme le camembert, le roquefort et le fromage de chèvre. Une portion de 40 g représente une portion standard qui convient à la plupart des appétits modérés.

— *L'accès à de nouvelles viandes, deux fois par semaine.*

En plus des parties maigres du bœuf, du veau et du cheval, on peut consommer, une à deux fois par semaine, du gigot d'agneau, du filet de porc et du jambon blanc, parties les plus maigres de l'animal.

— L'accès à des féculents, deux fois par semaine.

Cet accès se fait en deux temps, la moitié de la consolidation apporte une portion, la seconde moitié, deux portions PAR SEMAINE. La quantité de féculents autorisée par portion est de 220 g pesé cuits.

D'autre part, le Dr Dukan établit une hiérarchie entre tous les féculents en fonction de leur valeur nutritionnelle.

Les pâtes représentent le féculent le mieux adapté au propos du moment, car elles sont fabriquées à partir de blé dur, dont la texture végétale est très résistante. Cette résistance physique à la désintégration ralentit sa digestion et l'absorption de ses sucres. Les pâtes sont des aliments appréciés de tous publics, rarement associées à la notion de « régime » et reconnues pour être un aliment rassasiant.

La semoule de couscous ou les grains de blé entiers (plus connus sous le nom d'Ebly) peuvent être aussi consommés, à raison d'une portion de 200 g (après cuisson), deux fois par semaine. Ces aliments proviennent eux aussi du blé dur et jouissent de ce fait des mêmes propriétés que les pâtes.

Les lentilles (tout comme les autres légumineux) (une portion de 150 g, deux fois par semaine) représentent un autre féculent de choix, l'un des sucres les plus lents de la Création... C'est un excellent aliment de stabilisation, très rassasiant...

Le riz et les pommes de terre sont aussi autorisés, mais à consommer occasionnellement, en donnant la priorité aux féculents qui précèdent.

Et les frites ou les chips ? Non, vous pouvez oublier.

— 2 repas de gala par semaine.

Comme pour les féculents, on commence par un seul repas de gala par semaine pendant la première moitié de la consolidation puis deux dans la deuxième.

Lorsque le Dr Dukan parle de repas de gala, il est question de « repas » et pas de « journée ».

D'autre part, « gala » signifie « fête ». Voilà comment il demande de les pratiquer :

Une entrée libre, ce que vous désirez, une tranche de foie gras ou ce qui vous tente et que vous avez longtemps « oublié ».

Un plat principal, ce qui vous fera plaisir, un cassoulet si vous le voulez !

Un dessert, n'importe lequel.

Un bon verre de vin ou une flûte de champagne.

Mais sous deux conditions primordiales :

— Ne jamais se resservir deux fois du même plat,
— Ne jamais pratiquer deux repas de gala de suite.

Le Dr Dukan donne toute une série de consignes pour pratiquer ces repas de fête. Il conseille d'espacer ces repas, pour laisser à notre corps le temps de s'en remettre, de choisir les plats qui font particulièrement envie, de bien penser à ce que l'on mange lors de ce repas et de se concentrer sur la sensation que ce nouvel aliment provoque.

— *1 jour de protéines pures par semaine*. Cette journée sentinelle exerce une protection tant métabolique que psychologique. Elle permet de se sentir concernée et motivée et toujours dans la course, « sur le pont ». C'est elle qui donne de la cohésion et de la sécurité à l'ensemble de cette phase.

Le Dr Dukan préconise de garder, à vie, un jour par semaine de protéines pures. Ce jour PP agit comme un garde-fou et permet de compenser les éventuels « excès » d'un repas de gala. Ce jour de protéines pures apporte un certain équilibre dans ce « nouveau » régime de stabilisation.

La quatrième phase du régime Dukan : la stabilisation définitive

C'est cette quatrième phase qui est la grande première dans le monde de la nutrition. Demander à son patient ou à son lecteur de penser la suite de son régime sur le reste de sa vie, c'était prendre le risque de le décourager. En fait, le Dr Dukan ne faisait que dire tout haut ce que tout le monde pressentait mais occultait depuis toujours. Le fait de maigrir n'implique en aucun cas la stabilité du poids obtenu, bien au contraire : maigrir tend à faire réagir l'organisme qui aura tendance à reprendre le poids perdu avec plus d'ardeur et de savoir-faire qu'auparavant.

Pour retrouver le poids perdu, le corps dispose de deux moyens très puissants : la réduction des dépenses métaboliques et l'augmentation des recettes par l'accroissement du profit alimentaire. Je vis à l'économie et je dépense moins et, de chaque aliment, je tire la substantifique moelle. C'est ce que font toutes les entreprises en difficulté.

Pour faire face à ce qui a été la cause incontournable de l'échec de la lutte contre le surpoids, le Dr Dukan a mis en place un plan de défense portant sur quatre mesures simples, très efficaces, suffisamment indolores pour être acceptées sur le long terme mais non négociables.

1. La première est l'acceptation de la phase de consolidation comme une plate-forme de sécurité vers laquelle se replier en cas de dérive quand l'ouverture et le retour à la spontanéité alimentaire deviendraient menaçants. Cette plate-forme devient ainsi une alimentation repère sécurisée qui instaure un fond de confiance évitant la culpabilisation et ses risques.

2. La deuxième est l'acceptation du jeudi protéines pures, la journée sentinelle qui permet de donner un coup d'arrêt à l'emballement des métabolismes. Un jour de protéines pures est capable, à lui seul, de stopper une tendance à l'inflation calorique, de faire régresser le poids le jour même et de retentir sur le jour suivant, voire le troisième jour. Ce jeudi protéines est une pièce majeure à accepter sans chercher à la négocier car, sans lui, la dérive progressive du poids est inéluctable.

3. La troisième est l'abandon « contractuel » des ascenseurs, tant les siens que les autres. Cet abandon est source de dépenses caloriques « régulières » et tout autant maintient un état d'esprit combatif, une motivation entretenue et une implication renforcée. Dans tous les cas de perte supérieure à 8 kg, il est nécessaire d'ajouter 20 mn de marche par jour.

4. La quatrième est la consommation de trois cuillères à soupe de son d'avoine par jour à vie. Cette mesure est en fait un élément capital de la méthode Dukan car non

seulement elle est de nature à protéger le poids obtenu et sa stabilisation mais c'est à la fois un aliment aussi protecteur qu'agréable à consommer et de surcroît rassasiant et satiétogène.

Le son d'avoine agit grâce à deux propriétés physiques :

Son pouvoir d'absorption de l'eau qui lui permet de fixer jusqu'à 25 fois son volume. Ce qui fait qu'une cuillère à soupe de son d'avoine formera avec les liquides rencontrés dans l'estomac une boule de céréales de plus de 300 g, ce qui est de nature à le distendre et à entraîner un vrai rassasiement et une satiété prolongée.

Sa viscosité périphérique : le son mêlé aux aliments réduits en bouillie élémentaire parvient dans l'intestin grêle, le lieu où l'organisme vient puiser ses nutriments et ses calories. Et au moment où ces éléments s'apprêtent à passer dans le sang, la viscosité du son d'avoine lui permet de fixer sur sa membrane les nutriments qui l'entourent et de les entraîner avec lui dans les selles. Ce faisant, il permet d'alléger la facture calorique du bol alimentaire et joue de la sorte une activité amaigrissante.

Le Dr Dukan rappelle cependant que tous les sons n'ont pas le même intérêt nutritionnel et que les sons trop moulus et donc trop fins ainsi que les sons insuffisamment blutés ou encore riches en farine d'avoine et ses sucres rapides ont un intérêt culinaire mais perdent une grande partie de leur intérêt nutritionnel.

Comment s'est passée ma stabilisation ?

J'étais particulièrement excitée ce 13 mai 2006. Je m'étais longuement préparée à cet instant magique. J'avais imaginé ma réaction et ma joie quand je verrais enfin ce chiffre de 75 kg. Je pensais que j'allais exulter de bonheur et sauter comme une petite folle partout. Mais ça n'a pas été du tout le cas.

Comme à chaque pesée, tous les samedis, j'avais bien placé ma copine, la balance, sous la lampe du couloir. J'étais passée aux toilettes, nue comme un ver, je m'apprêtais à lire un nouveau verdict d'une semaine de protéines pures. Je suis grimpée sur la balance et, là, elle affichait un magnifique 74 kg tout rond. N'y croyant pas, je suis descendue de la balance et suis remontée à nouveau dessus. Elle affichait toujours 74 kg. Là, elle ne pouvait pas se tromper. J'avais atteint mon objectif : 75 kg, et même au-delà.

J'étais envahie par un immense sentiment de victoire. Mais pas un mot ne sortait de ma bouche. J'étais tellement heureuse d'avoir enfin relevé mon défi, que je ne pouvais plus parler. J'étais muette. Sourde aussi. Je n'entendais pas mon mari me demander si c'était bon, je n'entendais pas mon chat miauler à côté de moi, réclamant sa pâtée, et même pas mon petit bonhomme qui s'extasiait devant son nouvel héros Oui-Oui. Le temps s'était arrêté.

« Chérie, bon alors ? Tu me réponds ? Ça y est, t'as atteint ton objectif, me lança Olivier, impatient.

— Euh… oui, lui dis-je en sursautant et en revenant à la réalité.

— Et c'est tout ce que ça te fait ?

— Non, non, je suis ravie, c'est génial.

— Ah, tu m'as habitué à être plus démonstrative, dit-il en riant. T'es à combien ? Je peux savoir enfin ?

— Je suis à 74 kg, je viens de perdre 45 kg.

— 74 kg, alors, ça veut dire que tu as commencé ton régime à… 119 kg ? T'es sûre ?

— Ah, certaine.

— Ah oui, alors, t'as eu raison de rien me dire… Je rigole. C'est super ma chérie. Je vais prévenir tes parents et les miens. Il faut stabiliser maintenant.

— Oh oui, je vais commencer dès aujourd'hui. »

Oui, j'allais enfin pouvoir commencer la période de stabilisation. Mais avant d'entamer *stricto sensu* le nouveau régime du Dr Dukan, je savais précisément ce que j'allais manger ce samedi 13 mai 2006. Ça faisait des mois que j'avais envie d'un bout de pain, accompagné d'un morceau de fromage. J'allais enfin pouvoir assouvir mon envie. Et là, croyez-moi, il était hors de question que je me jette sur la baguette rassie de la veille et sur le camembert coulant qui était dans le frigo depuis trois jours. Je voulais profiter au maximum de ce premier « écart », prendre le plus de plaisir possible dans la dégustation.

Je me suis vite préparée, ai glissé mon fiston dans sa poussette, et suis partie à la quête du Graal vers la meilleure boulangerie et épicerie que je connaisse. Arrivée dans le magasin, j'ai pris tout mon temps pour choisir le pain et le fromage qui me satisferaient. J'ai pris un beau pain complet, doré à souhait, sortant du four. L'odeur de pain chaud enivrait déjà mes papilles. Pour le fromage, les reblochons de l'étalage ne correspondaient pas à mes attentes. Je me suis donc rabattue sur un magnifique morceau de comté, fraîchement coupé. Ces trésors en poche, je suis vite retournée à la maison.

Enfin à table, j'ai coupé un morceau de pain de la taille de ma main environ. En ce qui concerne le fromage, la portion coupée était proche de 40 g. Lorsque j'ai croqué mon petit sandwich, ce fut l'extase : huit mois que je n'avais pas mangé de pain ou de fromage. Je peux vous assurer que j'ai profité au maximum de cet instant. Mon Dieu que c'était bon !

Pendant ce premier week-end, j'ai appliqué à la lettre tous les principes du Dr Dukan. J'avais mangé du pain et du fromage, le samedi midi, je pouvais croquer une pomme le soir. Les retrouvailles avec les fruits ont été également très savoureuses. Cet apport de sucre, aussi minime soit-il, à chaque bouchée, était divin. Invités le dimanche midi chez mes beaux-parents, prévenus la veille de mon « exploit », ma belle-maman m'avait préparé un gigot d'agneau avec des flageolets et un kaki en dessert. En prenant garde de ne pas me resservir, je croquais la vie à pleines dents. J'avais terminé cette belle journée par un repas de protéines pures, de peur d'avoir tout de même fait des excès.

Quelle ne fut pas ma surprise le mardi suivant ce week-end festif, quand je suis remontée sur mon pèse-personne. Ma copine la balance, sournoise, affichait 77 kg. Et contrairement à ma réaction du samedi précédent, j'ai été plus que démonstrative. Je criais, je pleurais :

« — Non, mais ce n'est pas possible ! Ce n'est pas croyable, ce n'était même pas un repas de gala. Je n'ai pas fait d'écart, et je reprends 3 kg comme ça.

— Calme-toi, me lança Olivier, ce n'est pas grave.

— Pas grave, t'en as de bonnes.

— Bon, tu ne vas pas être indisposée ?

— Ben non, tu sais bien, je viens de les avoir, ça ne peut pas être ça.

— Alors, il n'y a pas d'autres solutions. Tu as réintroduit trop vite trop d'aliments.

— Tu crois ?

— À mon avis, compte tenu de ta perte impressionnante, en si peu de temps, il va falloir que tu réintroduises, aliment par aliment. La stabilisation telle que la préconise le Dr Dukan est peut-être trop rapide pour toi.

— Tu as raison. Je vais juste pour le moment réintroduire ce qui me fait le plus envie, le pain et le fromage, tous les deux jours.

— Je pense que tu vas être obligée de procéder de cette manière. Regarde quand même ce que tu as imposé à ton corps pendant huit mois. Pas de sucre, pas de graisse, rien, pas le moindre écart. Tu ne crois pas que c'est normal qu'il se venge un peu ?

— Oui, le salaud, il est là, tapi dans l'ombre, à l'affût, prêt à bondir sur la moindre graisse qui passe. Il n'attend qu'une seule chose, c'est de reprendre ce qu'il a perdu. Mais crois-moi, il peut toujours attendre. Enfin, en attendant, je vais repasser en protéines pures pour le reste de la semaine, et j'essayerai à nouveau le pain et le fromage samedi prochain. »

Ce malheureux épisode m'a fait prendre conscience que je devais adapter à mon cas la stabilisation du Dr Dukan. Je devais tester mon corps, savoir quels aliments je pourrais réintroduire et en quelle quantité. Mais, quoi que je fasse, il fallait absolument que je ne reprenne pas de poids.

L'avis du Dr Dukan

La réaction de Chris est commune et n'est pas proprement liée au passage en stabilisation mais à celui de tout écart. Lorsque vous faites un écart, quel qu'il soit, mais *a fortiori* quand c'est un petit écart et que le lendemain vous constatez une prise de poids qui vous surprend, 1, 2, voire 3 kg comme ce fut le cas ici, vous pouvez être sûre que vous n'avez pas pu prendre 3 kg de graisse. Pour faire 3 kg de votre tissu adipeux, il faudrait que vous ayez consommé 3 × 9 000 calories, soit 27 000 calories, ce qui est absurde. En fait, un écart, c'est au maximum 1 000 calories de plus que la normale, c'est-à-dire 100 g de vraie graisse. Et le reste, c'est de l'eau que vous pesez en même temps que le reste de vos organes.

Pourquoi de l'eau ? Parce que lorsque vous mangez un peu plus de sel et que vous buvez du vin, vous avez fait arriver dans votre sang deux corps d'une extrême toxicité, l'alcool et le sel. S'ils devaient rester purs dans votre sang, ils vous tueraient. Aussi, pour vous permettre de vous conserver en vie, le corps adopte une vieille recette biologique extrêmement basique et qui est déjà présente dans le monde végétal : la dilution. Tout poison perd de sa nocivité lorsqu'il est dilué. Et quand vous ingérez du sel et de l'alcool, le corps vous donne soif, vous buvez et cette eau va servir de diluant et le restera tant que ces deux poisons ne sont pas totalement éliminés, ce qui peut prendre deux à trois jours pendant lesquels vous vous lamentez et vous inquiétez. Avec le risque de vous décourager et de craquer pour de bon sur des aliments qui, eux, font vraiment grossir.

Je me suis donc fixé comme principe de maintenir le régime d'alternance pendant toute la semaine, une semaine protéines pures, une semaine protéines/légumes et de réintroduire juste le pain, le fromage et les fruits pendant le week-end. J'avais décidé pour l'instant de ne pas remanger de féculents autres que le pain, les autres viandes et surtout pas de repas de gala. Ce système de pré-stabilisation me paraissait bien et sûrement plus adapté à mon cas que la stabilisation préconisée par le Dr Dukan.

J'ai maintenu ce système de mai 2006 à septembre 2006. J'étais particulièrement ravie de ses résultats. Je n'ai pas pris un gramme, et j'ai même continué à en perdre :

« Chéri, tu sais quoi ?

— Non, dis-moi.

— Je suis à 66 kg ce matin.

— Eh bien ! toi qui avais dit que tu ne pourrais jamais approcher les 60 kg !

— C'est génial.

— Oui, mais maintenant, il faut que tu arrêtes de maigrir. Tu es bien comme ça, et je ne veux pas que tu tombes dans l'anorexie.

— Ne t'inquiète pas, je gère.

— Tu gères peut-être, mais tu ne stabilises pas, tu maigris. Il faut maintenant que tu réintroduises plus d'aliments et que tu te rapproches de la stabilisation du Dr Dukan. »

Olivier avait parfaitement raison. Il fallait maintenant que je stoppe ma perte de poids et que j'arrive à stabiliser. Pourquoi j'ai continué à maigrir comme ça ? Je pense que je n'étais pas encore véritablement prête à stabiliser, et que mon poids de 75 kg ne me convenait finalement pas. J'espérais secrètement me rapprocher des 65 kg. Pour 1 m 75, ça aurait été vraiment parfait. J'étais à 66 kg, psychologiquement, je pouvais enfin me stabiliser. Enfin, du moins essayer…

Je savais que la consolidation telle que préconisée par le Dr Dukan ne me conviendrait pas, car réintroduisant trop vite trop d'aliments. Je savais que le système que j'avais adopté et pratiqué pendant quatre mois n'était pas suffisant pour stabiliser. Il fallait donc que je trouve un système intermédiaire, qui puisse ne pas me faire reprendre de poids, mais qui puisse également ne plus m'en faire perdre.

Je me suis donc fixé d'arrêter le régime d'alternance et de maintenir sur toute la semaine le régime de protéines/légumes. Le week-end, je continuerais à réintroduire le pain, le fromage et un fruit. Je me permettrais, de temps en temps, dans la semaine, de manger une autre viande. Le dimanche serait le jour de mon seul repas de gala. Mais je m'interdirais les féculents autres que le pain et un deuxième repas de gala dans la semaine.

Comme je n'avais pas vraiment stabilisé jusqu'à présent, j'ai recalculé ma période de stabilisation. J'avais perdu 53 kg, j'avais donc 530 jours de stabilisation, à compter de septembre 2006.

J'ai très bien supporté cette méthode. Pendant les premiers mois, j'ai réussi à rester autour de 67-68 kg. Dès que je sentais que j'avais un peu exagéré le week-end, je repassais en protéines pures pendant deux ou trois jours pour récupérer immédiatement mon poids. Je me sentais bien. Je testais mon corps. Plus je pratiquais, plus je savais précisément quels aliments je pouvais manger et en quelle quantité. La balance ne descendait plus.

J'ai commencé à avoir des soucis avec ma méthode à compter de mai 2007. J'avais pris l'habitude d'être très sérieuse tout au long de la semaine et de « me lâcher » le week-end. Ces deux jours étant les jours où je réintroduisais les aliments et où j'avais mon gala, j'avais tendance à laisser passer des quantités plus importantes de pain, de fromage ou de fruits. Cette méthode a eu pour effet pervers de faire réapparaître en force mes compulsions alimentaires.

Dès qu'arrivaient le samedi et le dimanche, j'avais de terribles envies de pain. Comme je savais que, le lundi, je pourrais effacer mes excès avec quelques jours de protéines pures, je me laissais aller à un petit pain, appelé en Lorraine « morissette », bien blanc, moelleux et saupoudré de gros sel. Puis deux, puis le paquet de cinq, d'abord sur les deux jours de la fin de semaine, puis seulement sur le samedi. Chaque fois, je me reprenais le lundi suivant. Puis j'ai commencé à aller chercher ces « morissettes » le vendredi soir. Je sortais de l'autoroute pour me rendre précisément dans le magasin qui préparait ces merveilleux petits pains. Ces pains étaient mes seuls écarts, mais je ne parvenais pas à me contrôler, à me dire : « Tu en manges un et tu arrêtes. »

C'est à cette période que ma dose de sport a considérablement évolué. L'exercice physique accentuait terriblement mes besoins en énergie. C'est aussi la raison pour laquelle j'avais décidé, en juillet 2007, de réintroduire, de temps en temps, certains féculents. J'avais pris quelques kilos de muscles, quelques kilos en raison de mes écarts, je tournais alors à 70-72 kg.

Mais la situation s'est dégradée en août 2007. Pendant ces trois semaines, mes compulsions alimentaires ont eu raison de ma motivation. J'ai remangé « normalement » pendant trois semaines. À aucun moment, je n'ai cédé sur un énorme plat de frites ou de lasagnes. J'ai juste mangé « hypocalorique », en ne me privant pas. J'ai mangé chaque jour du pain, des fruits, du fromage, quelquefois plusieurs fois par jour. J'ai mangé des féculents, quelques pâtes, un peu de riz ou d'Ebly. J'ai cédé de temps en temps sur un bout de brioche le matin au petit déjeuner ou sur le morceau de chocolat le soir avec le café. Rien de méchant, vous en conviendrez ?

Mon retour a été particulièrement douloureux : trois semaines d'écarts, résultat 77 kg sur la balance. J'en pleurais. La répétition de petits écarts avaient suffi à eux seuls à me faire prendre 6 kg en trois semaines. Et encore, tout le sport que j'avais pratiqué pendant les vacances avait sûrement limité les dégâts.

J'avais horriblement peur. Peur de reprendre tout ce que j'avais perdu. Peur de déraper et de retomber à nouveau dans l'obésité. Certes, j'allais me remettre tout de suite en protéines pures pour éliminer, à nouveau, ces 6 kg. Mais combien de temps pourrais-je tenir comme ça ? Combien de temps est-ce que j'aurais la volonté de me remettre en PP pour reperdre ces kilos ?

J'ai réussi à reperdre ces kilos et à me maintenir jusqu'en décembre 2007. J'ai de nouveau cédé lamentablement à mes compulsions alimentaires pendant toute la période de Noël 2007. Installée depuis trois mois dans notre nouvelle maison, nous avions tenu absolument à organiser tous les repas. Nous avions invité mes parents et beaux-parents, ma grand-mère et une amie de mes parents. Tout ce petit monde logeait sur place. J'étais super bien comme ça en famille. C'était très agréable de se retrouver tous ensemble autour de notre petit bonhomme qui découvrait pleinement tous les charmes des fêtes de fin d'année. J'avais prévu des repas classiques, rien de plus. Fruits de mer, foie gras, dinde, purée de marrons, et fruits en dessert. Pour alléger les agapes, j'avais même prévu, le jour du nouvel an, une fondue chinoise, plat copieux, mais réputé pour sa faible valeur calorique. J'avais tout de même prévu le vin et le champagne en quantité. Quelques chocolats exquis ont également circulé.

Je suis grimpée sur la balance le 2 janvier 2008. Certes, tout le monde vous dira qu'il est normal de prendre du poids après les fêtes. Mais à ce point-là ! Ma balance affichait 79,9 kg. J'étais particulièrement mal. J'avais les jambes horriblement gonflées, pleines d'œdèmes, le visage bouffi. Mon acné si longtemps disparue commençait à refaire son apparition. J'avais les intestins qui dansaient le tango brésilien, et mes cuisses et mes fesses qui se remplissaient à nouveau de graisse.

Lorsque je me suis vue ce matin devant le miroir, j'ai eu un électrochoc. Je retombais dans les problèmes de poids et dans mes anciens travers. Si je continuais comme ça, je pouvais être assurée que l'année 2009 serait marquée à nouveau par mon obésité. Et il en était hors de question. Il fallait que je réagisse immédiatement. Mais il fallait aussi, avant que j'entame à nouveau une stabilisation, que je traite vite mes problèmes psychologiques avec la nourriture.

J'ai donc décidé de refaire une période d'attaque de dix jours de protéines pures pour perdre très vite ces kilos repris et d'enchaîner ensuite sur un régime d'alternance pour atteindre à nouveau 67-68 kg. Je maintiendrais ce régime d'alternance tout le long de ma psychothérapie, jusqu'au moment où je serais capable de contrôler mes compulsions alimentaires et d'arriver à me limiter. Tant que, psychologiquement, je n'étais pas sortie de mes compulsions, cela ne servait à rien d'entamer la stabilisation. J'aurais dû le comprendre bien plus tôt.

Mes reprises de poids spectaculaires étaient également dues au fait que je gardais encore sur les fesses et sur les cuisses de la peau en trop, remplies de millions de vilaines cellules adipeuses qui ne demandaient qu'à se remplir à nouveau de graisse. Cette situation ne pouvait plus durer, il fallait que j'agisse vite.

Une psychothérapie

Je savais que j'avais des problèmes face à la nourriture et qu'il fallait que j'entreprenne un suivi psychologique pour les résoudre. Mais quel médecin choisir pour traiter spécifiquement ces soucis, et quelles méthodes utiliser ?

C'est encore le forum « Doctissimo » qui est venu à mon secours en m'apportant les informations que je recherchais. En cherchant sur le site, je suis tombée sur une interview du Dr Jean-Marc Benhaiem, médecin hypnothérapeute et responsable de formation à l'hypnose médicale, particulièrement intéressante.

Doctissimo : Quel est le principe de l'hypnose (sous-entendue médicale)?

Dr Benhaiem : *Grâce à l'hypnose, nous pouvons modifier le comportement et la relation qu'a la personne avec son alimentation. Par exemple, si elle considère les sucreries comme une forme de récompense, elle ne pourra pas s'en passer sans le ressentir comme une punition. Pour qu'elle puisse maigrir, il faudra changer cette perception. De même, si une personne trouve les légumes trop tristes, l'alcool gai, ou pense qu'il faut manger énormément pour montrer que l'on a la santé, il faut changer ces comportements.*

Doctissimo : Quel est le taux de réussite de cette méthode ?

Dr Benhaiem : *Modifier le comportement alimentaire est difficile. D'autant qu'il y a un travail de sape permanent, qu'il vienne de la publicité, des parents, des amis... Car il faut lutter contre la pression de la société et de la famille ! Face à ces pressions, certains résistent et d'autres craquent. Globalement, 20 % des personnes perdent du poids de manière stable, 20 % sont influencées par leur environnement et gèrent plus ou moins bien leurs habitudes alimentaires. Les autres ne parviennent pas à changer leur comportement. Mais, par comparaison, ce travail de sape est moins important pour le tabac, et il est ainsi plus simple d'arrêter de fumer que de perdre du poids ! Sur les paquets de bonbons et de gâteaux il faudrait indiquer « Risque d'obésité et d'hypercholestérolémie » !*

Doctissimo : Outre le rapport aux aliments, est-ce que vous travaillez sur l'image de soi ?

Dr Benhaiem : *Nous avons des patients obèses, anorexiques, boulimiques... donc nous devons souvent travailler sur l'image de soi. Ce que je leur dis, c'est qu'ils n'ont pas besoin d'aimer la graisse qu'ils ont sous la* *peau mais ils doivent aimer leur corps, et ils ne doivent pas le punir. On leur demande d'éprouver de l'affection pour leur physique, même si cela implique d'expulser les kilos en trop. Car on ne peut vraiment changer de comportement que si on se réconcilie d'abord avec soi-même.*

Doctissimo : *Vous parliez d'anorexie et de boulimie. L'hypnose est-elle efficace contre ces troubles du comportement alimentaire ?*

Dr Benhaiem : *L'anorexie et la boulimie sont des troubles plus difficiles à traiter, car ils font intervenir de profonds problèmes d'image de soi, de relation avec les parents… Si le trouble est très récent, nous pouvons intervenir avec l'hypnose. En revanche, si le problème est installé depuis de nombreuses années, et qu'il menace le pronostic vital, une prise en charge complète, avec éventuellement une hospitalisation, est indispensable.*

Cet article me laissait entrevoir une solution à mes problèmes de compulsions alimentaires. Il fallait que j'essaye cette méthode. Même si je savais que le taux de réussite n'était pas de 100 %, il fallait que je la tente. Pour ce faire, je devais trouver un médecin de la région qui la pratique.

Je me suis donc rendue sur le site français de « l'hypnose médicale » où apparaît la liste des praticiens, région par région. J'ai été très contente de constater qu'un psychiatre, installé sur Metz, pratiquait cette méthode. J'ai donc pris rendez-vous.

Le Dr DF est un homme de petite taille, très avenant et sympathique. Chauve bien prononcé, il garde en permanence une barbe grisonnante de trois jours. Il porte souvent son écharpe rouge et noir, et un costume de velours beige. Très élégant, ses chaussettes sont toujours associées à la couleur de sa chemise et de sa cravate. C'est un homme énergique dont la voix est calme et posée. Ce contraste entre sa voix et son attitude m'a tout de suite marquée.

Mon regard balaye son cabinet. Un somptueux bureau de bois noir trône au milieu de la pièce, très lumineuse. Devant ce bureau, siègent deux fauteuils, l'un en face de l'autre. Dans un renfoncement du mur se trouve le fameux « canapé du psy ». Il est entièrement recouvert d'un épais tapis, rouge, vert et noir. Au sol, le parquet de bois clair est mis en valeur par le blanc cassé des murs. Quelques livres reliés traînent dans la bibliothèque noire au fond de la pièce. La pièce est harmonieuse et calme.

Le Dr DF s'assoit à son bureau en face de moi. Il prend une petite feuille blanche et un stylo et me demande de me présenter.

Je m'exécute. Il enchaîne :

« Madame Girard, que puis-je alors pour vous ?

— Docteur, voilà, j'ai perdu plus de 50 kg et...

— Oh félicitations, vraiment... enfin excusez-moi, poursuivez...

— Merci. J'ai donc perdu plus de 50 kg, et voilà maintenant près d'un an et demi que j'essaye de stabiliser mon poids. Je n'y arrive pas trop mal jusqu'à présent, mais je suis toujours sujette à de terribles compulsions alimentaires, et je n'arrive pas à me limiter. Je me reprends après chacun de mes écarts et je reperds immédiatement tout le poids repris. Mais, aujourd'hui, je suis terrifiée à l'idée que je puisse reprendre tout le poids que j'ai perdu, que je ne puisse plus me contrôler, que je cède constamment à mes compulsions alimentaires. J'ai peur que ma motivation et ma volonté ne flanchent, que je me lasse de ce régime, que je laisse tomber les sports que je pratique. J'ai peur simplement de retomber dans mes anciennes habitudes et de redevenir obèse.

— D'accord, dit-il en griffonnant sur son petit papier. Pourquoi m'avez-vous choisi ? Qu'attendez-vous précisément de moi ?

— J'ai trouvé sur Internet un article qui présentait l'hypnose médicale. D'après ce que j'ai lu, l'hypnose médicale permettrait de traiter les troubles du comportement alimentaire. Je me suis rendue sur le site de l'hypnose médicale, sur lequel vous êtes enregistré comme praticien. J'attends donc de vous que vous m'aidiez à vaincre mes compulsions alimentaires, à me limiter quand je mange, à résoudre mes troubles alimentaires en fait.

— Vous croyez à l'hypnose médicale ?

— Je suis prête à croire à n'importe quelle méthode qui sera susceptible de m'aider.

— J'ai bien compris votre problème. Je pense que je vais pouvoir vous aider. Alors avant que nous commencions, je vais vous demander de me dresser une liste des événements les plus traumatisants de votre vie par ordre d'importance.

— C'est bien noté.

— Il faut savoir aussi que je pratique une méthode voisine de l'hypnose médicale. C'est en quelque sorte sa petite sœur. C'est la méthode EMDR. Est-ce que vous connaissez ?

— Non, désolée.

— C'est une méthode développée par le Dr David Servan-Schreiber, dans son livre *Guérir*. On ne change pas son passé, mais on peut faire en sorte de mieux l'accepter. C'est une méthode qui a été utilisée sur les soldats, survivants de la guerre du Vietnam.

— Je vais peut-être acheter l'ouvrage pour comprendre clairement la méthode.

— Ça ne pourra être qu'un plus, c'est évident. On va commencer par là, et ensuite, on verra comment ça évoluera.

— D'accord pas de problème. »

Vous pensez bien que, dès l'instant où je suis sortie du cabinet du Dr DF, je me suis précipitée vers une librairie pour connaître tous les tenants et aboutissants de la méthode EMDR. J'avais entre les mains un article du psychologue Stéphane Barbéry :

« L'EMDR, acronyme anglais signifiant Eye Movement Desensitization and Reprocessing, *que l'on peut traduire par "Retraitement et Désensibilisation par Mouvement Oculaire", est une technique psychothérapique conçue à la fin des années 1980, en Californie, par Francine Shapiro. On en parle depuis quelques mois en France en raison de l'impact du best-seller* Guérir *de David Servan-Schreiber, psychiatre, qui décrit cette technique.*

L'indication principale de l'EMDR est le traitement des chocs émotionnels. Il peut s'agir de traumatismes graves mais également d'une succession de chocs moins importants qui deviennent pourtant invalidants du fait de leur accumulation. De nombreux symptômes névrotiques, psychosomatiques ou d'addiction sont également la conséquence de chocs émotionnels. L'annonce d'une maladie, certaines interventions chirurgicales peuvent créer, en elles-mêmes, des traumatismes psychiques qui réduiront, s'ils ne sont pas traités, les ressources de la personne dans son processus de guérison.

Fondée sur son expérience personnelle, Francine Shapiro a émis l'hypothèse que les mouvements oculaires étaient le mécanisme principal d'activation de la désensibilisation du traumatisme. »

D'après ce que je lisais, la technique de Dr DF consisterait d'abord à me faire accepter certains événements de mon passé qui m'ont conduite à l'obésité et certains passages traumatiques, conséquences de cette obésité. La liste des dix événements douloureux que je devais établir servirait sûrement à ça. Une fois que j'aurais franchi cette étape, je pouvais espérer arriver à me contrôler, à me limiter et peut-être à accepter mon corps.

C'est exactement de cette manière que ma psychothérapie s'est déroulée. Mais ce que je ne savais pas au départ, c'est comment le Dr DF allait utiliser l'EMDR. Comment allait-il faire pour provoquer ces mouvements oculaires ?

Je n'ai pas pratiqué l'EMDR lors de la première séance. Lorsque je suis arrivée dans son cabinet, le

Dr DF m'a fait asseoir dans un des grands fauteuils en face de lui. Il m'a immédiatement demandé cette fameuse liste d'événements traumatiques. Il souhaitait débusquer ces fameux événements qui m'ont conduite à l'obésité. Sur cette feuille un peu froissée apparaissaient les événements suivants, classés par ordre chronologique :

— Voyage en Yougoslavie
— Échec 1re année de faculté
— Accident de mon père
— Rupture sentimentale
— Moqueries lors d'animations scolaires

Avant d'aborder les périodes de ce document, le Dr DF a souhaité évoquer mon enfance. Je lui racontai que j'avais eu une enfance heureuse, entourée par mes parents, ma sœur et toute ma famille. Je n'étais pas obèse enfant, ni adolescente. Mais enfant, et encore plus adolescente, j'ai développé ce rapport conflictuel avec la nourriture. Je me souviens parfaitement de mes parents me disant d'arrêter de manger ou de grogner parce que je m'étais englouti la baguette entière de pain et qu'il n'en restait plus pour le repas du soir. Alors quelle est l'origine du conflit avec la bouffe ? Je ne sais pas, je n'ai pas (encore) su l'identifier. J'y réfléchis, j'y pense souvent, mais pour l'instant, je ne sais pas. Si je ne parviens jamais à mettre le doigt sur cet événement « traumatique », c'est peut-être aussi parce que cet événement n'existe pas, tout simplement. Je me dis que je suis peut-être née avec une addiction à la nourriture, comme d'autres naissent hétéro ou homosexuel, blanc, *black* ou beur. Qui sait ?

En abordant les trois premiers événements de la liste, le Dr DF a constaté qu'ils n'avaient pas eu ou peu d'incidence sur mon obésité, même si l'accident de mon père m'avait particulièrement marquée. En s'arrêtant sur le quatrième événement, en revanche, le Dr DF a établi de suite un lien entre cette rupture et ma prise de poids. Il est même allé plus loin que la rupture en elle-même. Il a considéré que c'était l'entièreté de cette relation qui avait été traumatisante pour moi et qui avait eu pour conséquence une terrible dévalorisation de ma personne. L'EMDR serait utile. Pour le cinquième événement de ma liste, c'était une des conséquences de mon obésité, événement traumatique qu'il fallait également traiter.

On est entré dans le vif du sujet lors de la deuxième séance. Le Dr DF me fit entrer précipitamment dans son cabinet, me demanda de m'asseoir dans le fauteuil face à lui, sans rien dire.

« Madame Girard, nous allons commencer la séance. Vous êtes prête ?

— Oui.

— Je vous demande tout d'abord de fermer les yeux et de visualiser le moment le plus heureux de votre vie.

— C'est la naissance de mon fils.

— Très bien. Pensez à ce que vous avez ressenti à ce moment précis, ressentez à nouveau toutes ces sensations, à la maternité, lorsque vous avez pris votre fils dans les bras pour la première fois. Souvenez-vous du lieu et même des odeurs de l'instant.

— Oui, c'était merveilleux comme moment.

— Ouvrez les yeux, soufflez. Ça va ?

— Oui, très bien.

— Bon maintenant, je vais vous demander de fermer les yeux à nouveau et de visualiser cette scène de rupture avec votre ancien copain. Vous savez qu'il est toujours possible de stopper la séance si vous ne vous sentez pas bien… Pensez à l'ensemble de votre relation, au mal qu'il a pu vous faire. Laissez remonter en vous les émotions que vous avez éprouvées à ce moment précis. Les ressentez-vous ?

— Oui, j'ai mal à l'estomac.

— Ouvrez les yeux. »

À ce moment précis, le Dr DF agita devant mes yeux un petit bâton lumineux.

« Ne bougez pas la tête et suivez des yeux les mouvements de cette petite lumière. »

L'opération dura une petite minute.

« Suivez bien la petite lumière, ne la quittez pas des yeux... Voilà, fermez les yeux...

Soufflez... Que ressentez-vous ?

— C'est bizarre, je tourne, j'ai perdu mon équilibre.

— Sur une échelle de perturbation de 1 à 10, si 10 est le plus insoutenable, comment situez-vous votre relation avec votre ancien copain, cet idiot, ce jeune imbécile ?

— Je ne sais pas trop, c'est encore très présent. 7 ou 8 sûrement.

— Très bien, on recommence. »

Le Dr DF renouvela l'opération trois ou quatre fois, en me demandant à chaque interruption de replacer, sur l'échelle de perturbation, ce que je ressentais.

« Est-ce totalement vrai ou faussement faux ? Me lançait-il à chaque fois.

— Euh, je ne sais pas. Totalement vrai. »

À la fin de cette seconde séance, j'avais classé ma relation avec mon ex au niveau 2 sur l'échelle des perturbations.

Le Dr DF me fit respirer profondément et revenir à l'image de mon fils dans mes bras à la maternité. Un retour au calme en quelque sorte !

« Madame Girard, est-ce que ça va ?

— Je suis un peu perturbée, je tourne.

— Il va falloir un bon quart d'heure avant que vous puissiez reprendre totalement vos esprits. Pensez bien à ce que l'on a travaillé aujourd'hui. On recommence dans quinze jours.

— D'accord, entendu. »

Lorsque je suis sortie du cabinet, j'étais complètement désorientée et secouée. Je voyais encore le bâton lumineux se promener devant mes yeux et les mots du Dr DF retentissaient sans cesse dans ma tête. J'étais un peu dans un autre monde, mais j'étais bien. Je pouvais penser à mon histoire avec mon ex avec détachement. Les situations douloureuses que j'avais pu vivre avec lui ne l'étaient plus. Je m'en fichais. C'était terminé, fini, passé.

Dans les jours qui ont suivi cette séance « bouleversante », plus je repensais à mon ancienne relation, plus elle m'indifférait. Pas comme si elle n'avait jamais existé, mais comme si les blessures qu'elle m'avait causées s'étaient refermées pour toujours.

La troisième séance de ma psychothérapie m'a beaucoup marquée.

Quand je suis entrée dans son cabinet, le Dr DF était impatient de voir comment j'avais « digéré » l'EMDR :

« Alors Madame Girard, comment allez-vous ? Comment s'est passée l'après-séance ? Comment avez-vous vécu ces quinze derniers jours ?

— Docteur, si vous arrivez à me guérir de mes compulsions alimentaires comme vous m'avez guéri de ma relation avec mon ex, je vous serai particulièrement reconnaissante. C'est fantastique. Je peux penser à mon ancienne histoire sans émotion, avec détachement et même désintérêt. Je suis bluffée.

— Oui, l'EMDR est une technique efficace. On ne peut pas changer son passé, mais on peut l'accepter.

— Oui, je ne pensais pas.

— On va poursuivre. Vous êtes prête ?

— Oui

— Alors fermez les yeux et visualisez à nouveau cet instant merveilleux où votre fils est venu au monde. Ressentez à nouveau les mêmes émotions, laissez-les remonter. Imprégnez-vous de cet instant merveilleux... Soufflez... Ouvrez les yeux. Ça va ?

— Oui, très bien.

— Fermez les yeux à nouveau, mais visualisez cette fois ce moment où vous étiez avec les enfants, pendant une animation.

— Oh oui, je le visualise trop bien, même !

— Racontez-moi.

— Bien, je suis dans une salle de classe de ce collège dans une zone difficile de Nancy. Les murs sont orange vif. Je dois faire une animation de théâtre avec des gamins de 12 ou 13 ans qui n'en ont rien à faire. Je me revois encore. J'avais mon pantalon noir extra large et un corsage blanc. Je pourrais vous décrire les lieux au centimètre près. Je sens encore l'ambiance des lieux.

— Que s'est-il passé ?

— J'ai commencé par leur présenter une petite scène sympathique « La Mort du fils ». Il s'agit d'une situation qui doit être interprétée sur des tons différents. C'est mon arme secrète dans l'animation et les gens s'amusent comme des fous en général. Mais là...

— Lorsque j'ai commencé à jouer et à leur expliquer ce qu'ils devaient faire, les gamins ont commencé par me "rire au nez". Les choses ont généré et c'est là que j'ai entendu que j'avais l'air d'un clown, d'un éléphant et tant d'autres choses tout aussi sympathiques. »

Les larmes commençaient à couler le long de mes joues. J'avais toujours les yeux fermés. Je ressentais à nouveau terriblement ce sentiment de honte profonde que j'avais éprouvé à ce moment-là. J'étais nulle, incapable de faire quoi que ce soit avec mon « gros cul », incapable de bouger et de capter l'attention de gamins mal élevés.

« Qu'avez-vous fait à ce moment-là ?

— Je les ai tout de suite repris, et j'ai abrégé l'animation.

— Vous ressentez au fond de vous maintenant ce sentiment de honte, de culpabilité ?

— Oh oui.

— Alors ouvrez les yeux, Madame Girard. »

Le Dr DF agita à nouveau le bâton lumineux devant mes yeux à quatre ou cinq reprises. À chaque pause, il me demandait de situer la scène sur l'échelle des perturbations et me demandait si c'était totalement vrai ou faussement faux.

Pour terminer la séance, le Dr DF conclut avec des mots particulièrement forts.

« Pensez, Madame Girard, qu'il s'agissait d'adolescents, bêtes et méchants comme tout adolescent mal élevé. Vous auriez été petite, maigre, noire, jaune ou verte, ils se seraient moqués de vous. N'importe quel détail physique aurait été un prétexte.

— Oui, vous avez raison.

— Cette scène s'est déroulée, il y a plusieurs années, n'est-ce pas ?

— Oui, au moins dix ans.

— Pensez, qu'en dix ans, ces imbéciles, ces sales jeunes, ont changé également. Ils sont peut-être devenus gros eux aussi. Regardez-vous aujourd'hui. »

Cette phrase eut l'effet d'un électrochoc dans ma tête. C'est vrai. Je me suis arrêtée sur une image bouleversante, traumatisante du passé. C'est peut-être idiot à dire, mais je n'avais pas conscience qu'aujourd'hui ces jeunes ont inévitablement changé et peut-être grossi. Je n'avais pas conscience qu'aujourd'hui, j'ai maigri. Je ne suis plus cette grosse en train de faire une animation de théâtre dans une école. Je suis une femme active, mince, responsable juridique d'une société immobilière, maman d'un petit garçon extraordinaire, et épouse d'un homme formidable. Que sont-ils devenus eux aujourd'hui ? Ces jeunes de cité, ces gamins turbulents, violents et vulgaires ?

« Alors, Madame Girard, combien sur l'échelle des perturbations ?

— 0, Docteur.

— Bien, Madame Girard, nous allons pouvoir faire évoluer nos séances. »

Lorsque je suis sortie du cabinet du Dr DF, j'étais bien, sereine, avec cette petite réflexion qui me trottait dans la tête : « Mais pourquoi n'y ai-je pas songé avant ? »

La technique de l'EMDR n'a eu absolument aucun effet sur mes compulsions alimentaires. Pendant toute cette première partie de ma psychothérapie, j'ai continué à déraper avec la bouffe. L'EMDR a seulement été la condition *sine qua non* du passage à la deuxième phase de mon suivi psychologique.

Les séances qui suivirent furent totalement différentes des trois précédentes. Assise jusqu'à présent en face du Dr DF, je me retrouvais allongée sur le tissu vert et rouge du canapé. Le Dr DF était assis derrière moi. Sa voix était calme, ses mots posés, l'ambiance propice à une profonde relaxation.

« Madame Girard, vous allez vous détendre. Votre front devient lisse, vos joues se détendent, vos dents se desserrent. Vous sentez cette détente parcourir vos épaules, descendre dans vos bras, vos mains. Vous sentez votre bassin bien en contact sur le canapé. Vos jambes se détendent, puis vos pieds. Vous respirez profondément. Vous êtes bien.

Imaginez que vous sortez de votre corps. Vous êtes au-dessus de lui. Vous le voyez tout entier. Là vous pouvez constater à quel point le corps humain est bien fait, et quelle utilité il vous procure. Prenez conscience de l'utilité de vos pieds. Comment feriez-vous pour courir, faire autant de sport sans vos pieds ? Prenez conscience aussi de l'utilité de vos jambes. Comment feriez-vous pour poursuivre votre fils lorsqu'il se sauve si vous n'aviez pas ces jambes ? Prenez conscience de vos mains, de vos bras, de vos épaules. Ces membres aussi vous servent beaucoup. Vous pouvez serrer votre fils dans vos bras, le porter ou lui donner un bonbon. »

Je frissonnais. Même si je savais que c'était une chance merveilleuse d'avoir mes jambes et de pouvoir m'en servir, je ne pouvais pas les accepter telles qu'elles étaient.

« Vous allez revenir dans votre corps. Vos membres vont se réveiller progressivement. D'abord vos pieds, puis vos jambes, votre bassin, vos mains, vos bras. Vous ouvrez les yeux. Vous êtes complètement réveillée. »

J'étais bien, détendue, et j'avais une furieuse envie de bâiller. Je rejoins le Dr DF à son bureau.

« Madame Girard, nous venons de faire un exercice pour apprendre à appréhender votre corps. C'est un travail long qu'il va falloir que vous travailliez vous-même, à quelques petits moments perdus de la journée. C'est un entraînement. Plus vous le ferez, plus vous y arrivez. »

Le Dr DF n'expliquait jamais clairement la finalité précise de l'exercice qu'il me faisait travailler. Mais, après plusieurs séances de détente, relaxation, travail sur le souffle, j'ai compris :

Lorsque je connais des crises de compulsions alimentaires, celles-ci me plongent dans un état de stress. Je suis mal, j'ai l'estomac qui se noue, je suis nerveuse, j'ai peur de céder, je culpabilise quand je cède. La manifestation la plus flagrante d'une compulsion alimentaire est le stress. Donc si je parviens à maîtriser ce stress au moment de mes compulsions, si j'arrive à me détendre, précisément pendant ces moments d'égarement total, j'arriverai alors à maîtriser mes compulsions alimentaires, et à me limiter sur les aliments.

Évidemment, j'ai bien compris aussi que maîtriser mon stress pour contrôler mes compulsions et, à terme, changer mes rapports avec la nourriture, prendrait du temps, et m'obligerait à un travail psychologique régulier.

Aujourd'hui, je parviens à me maîtriser un petit peu. Au moment d'une compulsion, j'arrive à me détendre et à me calmer devant un morceau de pain. Mais je reste encore très fragile. J'ai conscience que ce travail psychologique prendra peut-être des années.

Stabilisation et santé

Autant je n'ai eu aucun problème de santé pendant toute ma phase d'amaigrissement, autant j'ai rencontré bon nombre de petits soucis pendant ma stabilisation.

Il faut être honnête. Maigrir comme je l'ai fait a affaibli mon organisme. Mon système immunitaire était fragilisé, moins performant. Pendant plusieurs mois, le moindre microbe qui traînait, c'était pour moi. Le petit virus de gastro-entérite... pour moi, celui de la grippe... encore pour moi. Ça a été assez pénible à supporter. Mais, j'ai lutté. Je courais vite voir mon beau-père dès que j'avais le moindre symptôme. Je faisais des cures de vitamines et de compléments alimentaires. J'essayais de dormir suffisamment. Si je devais aujourd'hui recommencer ma phase d'amaigrissement, je doublerais ma dose de vitamines. Il est évident que les carences en vitamines, oligo-éléments sont importantes dans le régime du Dr Dukan et peut-être n'étais-je pas assez complémentarisée.

Mes dents m'ont causé beaucoup plus de soucis pendant ma phase de stabilisation. Alors était-ce lié directement à mon amaigrissement et à l'affaiblissement de mon organisme ? Je ne sais pas, mais toujours est-il que j'ai passé toute ma période de stabilisation chez mon dentiste ou mon stomatologue.

J'ai fait des rages de dents à répétitions, je me suis cassé plusieurs dents sur un morceau de pomme, ou un bout de pain mais, le plus douloureux, cela a été un kyste sous la gencive, du côté droit, presque sous le sinus. Oh, rien de méchant sur le plan médical, mais une petite saleté qui a nécessité deux interventions chirurgicales du stomatologue, et qui m'a fait ressembler à un gros hamster ayant stocké dans ses bajoues sa nourriture pour un mois. Un bel effet « vahiné » en tout cas.

La rétention d'eau a été le problème le plus important auquel j'ai été confrontée.

La rétention d'eau ou l'œdème est une accumulation excessive de liquide dans l'organisme ou une partie de l'organisme. La rétention d'eau se produit lorsque l'organisme emmagasine plus d'eau qu'il n'en élimine. La dilatation des vaisseaux sanguins favorise l'œdème, car l'eau quitte les vaisseaux pour aller se loger dans les tissus. L'œdème est souvent plus présent au niveau des chevilles et des pieds.

Il m'est arrivé d'avoir les jambes énormes. Si j'avais le malheur de rester trop longtemps debout, ou si j'avais exagéré un peu ma consommation de sel, je ne vous raconte pas l'état de mes guibolles ! Enflées et particulièrement douloureuses. Quelquefois, je ne parvenais même plus à enfiler mes chaussures.

Afin d'améliorer rapidement les choses, j'avais commencé par rechercher sur Internet quelques petits conseils pouvant s'avérer très utiles pour prévenir ou aider à faire diminuer l'œdème. Sur le site de « santé-naturelle », j'ai trouvé par exemple les recommandations suivantes :

« Pensez à surélever vos jambes lorsque vous êtes assis(se) ou allongé(e) au repos. Assurez-vous qu'elles sont au-dessus du niveau de vos hanches.

Veillez à ne pas trop vous exposer à la chaleur.

Évitez la station debout prolongée.

Évitez les bas à jarretière ou les demi-bas qui bloquent la circulation.

Pensez à vous doucher les jambes à l'eau fraîche, cela soulage, surtout en fin de journée.

Buvez, mais en quantités adaptées : il peut arriver que votre médecin vous demande de réduire votre consommation de liquide (eau, jus, soupes, café, tisanes...) selon la cause de votre œdème.

Veillez à votre consommation de sel : une alimentation à forte teneur en sel aggrave la rétention d'eau. Lisez bien les étiquettes des produits du commerce raffinés ou tout prêts (biscuits, conserves... qui ont une teneur catastrophique en sel).

Privilégiez les fruits et légumes frais (crus ou cuits), les aliments et les céréales complets, les huiles 1re pression à froid...

Évitez les boissons gazeuses et sucrées.

Pensez à faire une activité physique, de préférence marche, vélo, natation...

Enfin, si le problème persiste, n'hésitez pas à consulter un médecin. »

J'ai appliqué ces principes à la lettre. J'ai effectivement constaté une petite amélioration. Mais mon problème persistant, je me suis décidée à consulter mon médecin.

Comme à l'accoutumée, le Dr K. m'écouta avec la plus grande attention et me répondit :

« Madame Girard, il n'y a pas trente-six solutions. Continuez déjà à suivre tous ces précieux conseils que vous avez trouvés sur Internet. Surtout, limitez votre consommation de sel. Ensuite, je vous prescris une crème pour vous masser les jambes. C'est assez efficace. Enfin, je vais vous prescrire des séances de drainage lymphatique chez le kinésithérapeute. »

L'idée de me faire tripoter les gambettes et le fait de devoir intégrer dans mon emploi du temps des séances de kiné ne me plaisaient pas forcément. Mais je voulais vaincre ces désagréments.

Je me suis donc rendue chez le kiné le plus proche de chez moi. Mlle CL est une jeune femme de 27 ans, petite, brune, et toute fine. Particulièrement sympathique, nous avons très vite entamé de grandes conversations. Les séances consistaient en une demi-heure de drainage manuel et en une demi-heure de pressothérapie.

Le drainage lymphatique manuel est une méthode qui a été créée en 1933 par un Autrichien, le Dr Vodder, pour activer la circulation de la lymphe, stimulant ainsi le système de défense immunitaire et entraînant une détente profonde. Elle s'est depuis développée pour des applications médicales, kinésithérapeutiques ou esthétiques tant les bénéfices tirés de ce massage sont nombreux.

La pressothérapie est une technique de drainage mécanique qui opère un massage par compression et décompression d'accessoires (bottes, ceintures). Les alvéoles des accessoires se remplissent d'air à un rythme varié et exercent ainsi des pressions multiples et douces sur la partie du corps traitée. La circulation est donc activée, et les toxines mieux éliminées.

Les résultats de mes séances chez le Dr CL ont été visibles très rapidement. En sortant de son cabinet, j'avais déjà les jambes beaucoup plus fines que lorsque j'y étais entrée. Mes parents et beaux-parents, à qui j'avais montré mes gambettes après plusieurs séances, avaient pu constater effectivement les bienfaits de ces massages.

Mais l'inconvénient de ces techniques est que, pour qu'elles donnent un résultat probant, il est nécessaire que les massages soient renouvelés très régulièrement. Et même si j'avais décidé de faire renouveler souvent mes cures de drainage auprès du Dr CL, je ne pouvais pas y passer ma vie. Il fallait donc que je trouve une autre solution.

C'est complètement par hasard, dans une grande librairie, que je suis tombée sur le livre de la nutritionniste britannique Linda Lazarides *Le Régime anti-rétention d'eau*.

L'auteur commence son ouvrage par un test pour savoir si l'on est concerné ou pas par la rétention d'eau. Globalement, vous répondez aux questions suivantes.

- *Pressez fermement un ongle dans la pulpe de votre pouce. Voyez-vous une marque pendant plus de deux secondes ?*
- *Avez-vous essayé de nombreux régimes amaigrissants sans pouvoir descendre en deçà d'un certain poids, même en persévérant ?*
- *Avez-vous parfois les chevilles enflées ?*
- *Vos bagues sont-elles parfois trop petites ?*
- *Votre ventre est-il souvent tendu et gonflé ?*
- *Éprouvez-vous souvent des douleurs aux seins ?*
- *Votre poids varie-t-il dans la journée ?*

Vous avez répondu oui à au moins deux questions : vous faites probablement de la rétention d'eau !

Linda Lazarides poursuit son livre en exposant les causes multiples de la rétention d'eau. Ainsi celle-ci peut être la conséquence notamment d'intolérances alimentaires, de la consommation excessive de protéines, de l'accumulation de toxines et de la pollution, d'une mauvaise circulation, ou d'un déficit en vitamines et minéraux essentiels.

Linda Lazarides conclut son ouvrage en proposant une solution à la rétention d'eau, c'est-à-dire en proposant un régime alimentaire particulier.

Le régime anti-rétention d'eau se divise en trois parties :

Phase 1 : durée deux mois

Il y a quatre grands principes :

— Éviter les aliments « ennemis » même à petite dose, comme le café, les sucreries, le sel et les aliments salés, les graisses saturées, la farine blanche ou raffinée, l'alcool, les additifs alimentaires chimiques et la consommation excessive de protéines.

— Consommer les aliments « amis » aussi souvent que possible : pain de seigle, céréales sans sucre, sans blé, complètes et bio, légumes cuits à la vapeur, blancs de poulet fermier, filets de poissons sauvages, fruits frais et secs, huile d'olive, herbes aromatiques, épices...

— Varier son alimentation afin de l'équilibrer au mieux.

— Manger à sa faim sans se préoccuper des calories ni des quantités.

Phase 2 : durée quatre semaines

C'est une phase de test des intolérances alimentaires. Rajouter aux menus de la phase 1, pendant cinq jours :

— Semaine 1 : le blé. Rajouter des produits à base de blé tous les jours pendant cinq jours, puis recommencer le menu de la phase 1 pendant deux jours.

— Semaine 2 : les produits laitiers.

— Semaine 3 : les œufs.

— Semaine 4 : la levure.

Phase 3 : durée indéfinie

— Éviter les aliments non tolérés.

— 100 % de l'alimentation se compose de : légumes, céréales complètes, dérivés de soja, poissons gras, volailles bio ou fermières, noix, fruits, jus...

— 100 % de l'alimentation choisie librement, sauf lait, yaourt, fromage et beurre.

J'ai été particulièrement intéressée par la théorie et par les explications du Dr Lazarides. Le seul problème, c'était le fait que ce régime anti rétention d'eau n'était pas complètement compatible avec celui du Dr Dukan. Si je voulais donc tenter de lutter contre la rétention d'eau, en gardant les principes de base du Dr Dukan, il convenait que j'adapte le régime du Dr Lazarides à Dukan.

Concernant tout d'abord les aliments « ennemis » il n'y a eu aucun souci. Ne pas consommer de sucreries, les graisses saturées ou encore la farine blanche ou raffinée, n'était pas difficile, le régime Dukan les interdisant.

En ce qui concerne le café, moi qui en suis une grande consommatrice, j'ai eu beaucoup de mal à m'en passer. J'ai suivi les conseils du Dr Lazarides, et l'ai remplacé par de la chicorée ou par des tisanes « drainantes ». Mais ce fut difficile.

Pour les aliments salés, il n'était pas très difficile de bien lire les étiquettes des aliments et de privilégier ceux qui possédaient la teneur la plus faible en sel.

En ce qui concerne la consommation excessive de protéines, j'étais bien ennuyée. Fallait-il que je reste en phase alternative ou fallait-il rester en période de protéines légumes ?

Le Dr Dukan prévoit dans sa phase de stabilisation de ne plus pratiquer l'alternance et de consommer régulièrement des légumes, mais en gardant toujours un jour de protéines pures par semaine. Optez pour une alimentation protéines/légumes constante me permettait de me rapprocher des exigences du Dr Lazarides, c'est-à-dire ne pas consommer des protéines de manière excessive, tout en restant sur les bases du Dr Dukan. Ce choix fut donc fait assez rapidement.

Concernant les additifs alimentaires, l'édulcorant, les deux régimes étaient incompatibles. L'un l'interdisait, l'autre le recommandait. J'ai décidé de rester sur les principes du Dr Dukan en me permettant d'utiliser mon édulcorant. Toutefois, j'ai essayé d'en limiter l'usage, surtout dans les premiers temps de ma nouvelle alimentation.

J'ai eu beaucoup plus de soucis quant à l'adaptation du reste du régime du Dr Lazarides. En effet, parmi les aliments « amis », je ne pouvais consommer que les légumes cuits à la vapeur, le blanc de poulet fermier, le poisson sauvage, les herbes aromatiques et les épices et, je le répète, il était hors de question pour moi de ne plus me préoccuper des quantités ou des calories.

Je me suis donc fixé comme principe d'utiliser les bases essentielles du Dr Lazarides, tout en les intégrant dans le régime du Dr Dukan, même si le régime anti-rétention d'eau était incomplet. En le combinant avec des séances de kiné, je peux vous assurer que les résultats ont été plus que probants. Mes jambes avaient perdu une bonne partie de leur diamètre et cela, sans utiliser un diurétique.

Aujourd'hui, même si j'ai résolu un bon nombre de problèmes, je reste vigilante et prudente avec ma santé.

Chapitre 13

ET LE SPORT DANS TOUT ÇA ?

Je suis devenue une droguée du sport, avec une pratique de dix à douze heures par semaine. Je prends un plaisir infini à me retrouver dans un bassin ou sur un tatami. Le sport a été un précieux allié dans mon amaigrissement. Il a été aussi un compagnon indispensable à ma stabilisation. Maintenant, si voulez faire du sport un atout minceur, il vous faudra d'abord combattre à nouveau bon nombre d'idées reçues.

Sport et idées reçues

Le sport fait-il maigrir ?

Le sport fait maigrir, mais très peu. La fonte des graisses est contrebalancée par le développement de la masse musculaire. Le sport va permettre de sculpter votre silhouette, de vous affiner, mais jamais de vous faire perdre beaucoup de kilos. Ce principe est d'autant plus vrai que tout va dépendre aussi du sport que vous allez choisir. Dans le cadre de mon régime, je ne voulais absolument pas que le sport ralentisse ma perte de poids, en me faisant prendre trop de masse musculaire. Il me fallait une activité qui accentue ma perte de poids, et non qui la ralentisse.

Mon choix s'orienta vers le cardio-training. Ce sport d'endurance correspond à tous les exercices visant à l'amélioration des capacités cardiovasculaires et cardio-respiratoires. Sous cette appellation de « cardio-training » on distingue tout entraînement effectué sur un vélo d'intérieur, un tapis de course, un rameur, un stepper... Bien entendu, si vous allez courir dehors, vous faites de la course à pied, et même si l'appellation diffère, le résultat sur le plan cardiaque et respiratoire est le même.

La perte de poids va dépendre de trois facteurs fondamentaux :

— L'intensité de travail,
— Le temps de pratique,
— La fréquence du travail.

Concernant l'intensité de travail, il s'agit précisément de l'intensité cardiaque ou des pulsations cardiaques pendant l'entraînement. Il vous suffit simplement de travailler à la bonne intensité pour perdre un maximum de poids.

Vous connaîtrez précisément votre intensité cardiaque en utilisant un cardio fréquence mètre, que vous trouverez dans tous les bons magasins de sport. Je vous déconseille la prise du pouls à la main ou au cou, c'est souvent approximatif et difficile à interpréter pour des non-médecins.

Ensuite, il suffit de connaître votre zone de travail, c'est-à-dire la vitesse à acquérir pour laquelle votre corps va brûler un maximum de graisse.

Pour cela, utilisez la formule suivante : 220 – âge = votre maximum cardiaque.

Une fois que vous connaissez votre maximum, appliquez les pourcentages suivants :

60 à 70 % de votre max = entraînement pour perdre du poids

70 % à 85 % de votre max = entraînement pour améliorer vos capacités cardiovasculaires

+ de 85 % de votre max = entraînement très intensif

Pour ma part, j'avais calculé :

220 - 28 = mon maximum cardiaque est de 192.

60 à 70 % de mon maximum correspondait à un travail entre 115 et 134 pulsations. Je savais donc que c'était entre 115 et 134 pulsations que je pourrais brûler un maximum de graisse.

Concernant le temps de pratique, les scientifiques estiment que le métabolisme des graisses (activation de la perte de graisse) débute plus ou moins après vingt à trente minutes d'effort. Si l'on veut obtenir un résultat, il paraît donc indispensable de pratiquer des séances au minimum de trois quarts d'heure car c'est après ce temps d'exercice intense que le corps va « taper » dans les réserves d'acides gras que l'on trouve sous forme de triglycérides dans les tissus adipeux. Le corps utilise ces graisses de réserve pour conserver assez d'énergie afin d'assurer les dépenses normales de l'organisme et continuer l'exercice commencé.

Si votre objectif est de taper dans les graisses et de maigrir, non seulement vous devrez faire au minimum 45 mn d'activité intense, mais il est même conseillé de pratiquer des séances sportives d'une heure, voire d'une heure vingt, entrecoupées par des temps de repos.

Selon les spécialistes, la méthode la plus efficace pour perdre de la graisse est de travailler de brèves séances d'entraînement intense, en se ménageant des intervalles de repos.

Maintenant, si votre objectif est simplement de bouger, vous affiner, il faut aussi se rappeler que le corps brûle 50 % de glucides et 50 % d'acides gras **au repos.** C'est ce qu'on appelle le métabolisme de base, c'est-à-dire les dépenses normales de l'organisme. De même, lors d'une activité telle que la marche, vous brûlerez plus d'acides gras que de glucose.

Concernant enfin le temps de fréquence, l'idéal est de fixer trois séances hebdomadaires. Sur ce point, toutes les études montrent qu'il est préférable de faire plusieurs séances par semaine, voire une tous les jours, même si ces séances ne durent que trente minutes, plutôt que de faire une seule séance par semaine qui dure deux heures. Vos chances de pertes seront supérieures en pratiquant régulièrement une activité.

Transpirer fait maigrir ?

Il est complètement inutile de se vêtir d'un K-way en allant faire une séance de cardio-training. Tout ce que vous réussirez à faire, c'est être ridicule. En suant de cette manière, vous n'allez perdre que de l'eau et des sels minéraux. Dès que vous boirez, vous récupérerez toute l'eau perdue et pas tous les minéraux, ce qui peut être néfaste à l'organisme.

Faire du sport à jeun ?

Je cherchais le moyen le plus efficace pour accentuer ma perte de poids en faisant du sport. C'est la raison pour laquelle que je me suis intéressée au sujet particulièrement controversé du sport à jeun.

En surfant sur mon forum préféré, dans l'onglet orange du sport, je suis tombée sur un témoignage de « Master », un éducateur sportif, qui a éclairé ma lanterne :

« S'entraîner dès l'aube et à jeun est un moyen utilisé par certains sportifs afin d'être "affûtés" à l'approche d'épreuves importantes ; cette méthode peut s'avérer intéressante chez les personnes qui souhaitent gérer leur poids de manière satisfaisante tout en s'adonnant à leur sport d'endurance favori (course à pied, cyclisme, etc.).

Conseils : avant de partir à jeun, il est nécessaire d'avoir fait auparavant un minimum de foncier sur deux à trois mois et en étant normalement alimenté durant cette préparation, ce qui signifie avoir une parfaite nutrition, c'est essentiel !

J'insiste auprès des néophytes qu'il vaut mieux être en bonne condition physique pour faire un premier essai.

Je conseille de faire une visite chez un médecin du sport et en particulier pour les personnes sujettes au diabète.

Principe : suite à une nuit de jeûne le glycogène musculaire est au plus bas. Le but d'une pratique sportive matinale est d'épuiser ce qui reste de sucre organique disponible et qui s'appelle glycogène hépatique (env. 60 g dans le foie).

Plus on tape dans cette faible réserve de sucre, plus rapide est la dégradation de ce dernier.

Il faut quand même un temps d'adaptation pour qu'ensuite le corps puise dans une autre source d'énergie : les acides gras !

Donc suite à un épuisement de la glycémie, on observe une grande consommation des acides gras ; la dégradation peut être multipliée par cinq suivant le temps consacré sur le terrain !

La période d'adaptation peut être courte et ainsi sera mise à contribution une autre source lipidique, le glycérol. Il sera transformé par le foie pour fabriquer du glucose destiné à nourrir les organes vitaux, cerveau et cœur, lors de ces sorties matinales. La pratique habitue le corps à mobiliser ses réserves et par suite contraindre les graisses à fournir de l'énergie utilisable.

Il faut être assidu pour parvenir à une baisse des graisses corporelles.

La méthode : commencer par des sorties d'1/2 h et ensuite de 1 h à 1 h 30, deux ou trois fois/sem. Pas plus ! Et en restant dans la filière aérobie et sans intensité autour de 60/70 % de la FC max !!

La fréquence cardiaque étant personnelle, il suffit de pouvoir parler en courant ou en pédalant. Boire de l'eau pendant l'effort, env. 0,5 l pour 1 h (1 bidon cycliste).

Ne pas dépasser 2 h bien que certaines personnes arrivent à accélérer le processus de fonte de graisse. Il faut quand même être prudent car au-delà de ces 2 h (variable suivant le niveau de l'athlète) cet état peut nuire à la santé (diabète par ex.) ; l'explication vient du fait qu'à partir d'un certain seuil il y a une production de corps cétoniques (déchets issus de la dégradation des graisses et autres acides aminés. Cela dépend bien sûr du métabolisme de chacun, d'où l'intérêt d'apprendre à bien se connaître !

Les habitudes alimentaires sont importantes car elles doivent garantir une parfaite nutrition tout au long des semaines précédant ce type d'entraînement.

Conclusion : cette méthode permet de mieux maîtriser son corps en étant plus affûté à condition d'être à l'écoute de ses sensations. Elle nécessite une bonne connaissance de soi et on conseille dans les premiers temps d'être vigilant dès les premières minutes de la sortie. Emportez un gel énergétique ou quelques tablettes de dextrose pour éviter toute mauvaise surprise éventuelle !

Au retour de la sortie, prendre un yaourt liquide pour contrer l'acidité gastrique et un petit déjeuner composé d'hydrates de carbone, de protéines, de glucides, en y ajoutant un fruit au choix, cuit de préférence. »

Tous ces précieux conseils en poche, je pouvais me lancer et pratiquer mes séances à jeun.

Un obèse peut-il faire du sport ?

Bien évidemment qu'un obèse peut faire du sport, mais il doit, comme je l'ai dit plus tôt dans cet ouvrage, simplement choisir une activité adaptée à son état. Pas question d'entamer une course de dix kilomètres, sans y être méticuleusement préparé.

Après mon lamentable épisode sur mon vélo d'appartement, j'ai pris conscience qu'il fallait un retour progressif à une activité sportive, sous peine que tout mon corps ne souffre de ma surcharge pondérale. J'ai donc longuement réfléchi à un programme de « retour à une activité sportive ». Je l'ai appliqué les six premiers mois de mon régime, c'est-à-dire de septembre 2005 à février 2006. Il se décompose en plusieurs phases et comprend pour chaque phase une activité de la vie quotidienne et un exercice ciblé.

1re phase : c'est ce que j'appelle la remise en mouvement. Il faut redécouvrir son corps, sentir ses muscles, ses membres. J'ai fait cette phase jusqu'au moment où j'ai perdu 10 kg.

Dans la vie quotidienne : monter les escaliers jusqu'au troisième étage, pas plus pour le moment.

Faire un peu de ménage chaque jour, le faire en musique (passer l'aspirateur énergiquement).

Exercices : étirements et travail au sol.

Le seul matériel que l'on doit posséder, c'est un tapis de sol.

On s'allonge sur le tapis de sol et on enchaîne les exercices suivants :

— Couché sur le dos, on s'étire le plus possible.

— On relève ensuite la tête, tenir 10 secondes et la reposer. Ceci 10 fois.

— Ensuite, on relève la tête et on lève les bras. 10 fois 10 secondes.

— On relève la tête, on lève les bras, on ramène les genoux. 10 fois 10 secondes.

— On relève la tête, on lève les bras et les jambes : 10 fois 10 secondes.

Cet exercice nous fait prendre conscience de toutes les parties de notre corps.

Quand on se sent bien, on maintient 15 secondes, puis 20.

L'essentiel n'est pas d'en faire trop tout de suite. L'essentiel est d'être régulier. La régularité est la clé de la réussite. Faites juste ces exercices tous les jours, 10 minutes par jour, et vous verrez !

2e phase : j'ai pratiqué cette phase jusqu'au – 15 kg.

Dans la vie quotidienne : on bannit l'ascenseur. On grimpe tous les étages à pied, quitte à faire des pauses entre les différents étages.

On joue avec les enfants, on fait du jardinage, on lave la voiture, on porte les packs d'eau.

Exercices : premiers abdos et exercices de gym/musculation.

— Couché sur le dos, vous pliez les genoux. Levez les bras et relevez le buste pour venir toucher vos genoux. 10 répétitions.

— Assis, vous écartez les jambes et essayez d'attraper vos pied. Maintenez 10 secondes et relâchez. 10 répétitions.

— À genoux, vous attrapez votre coude droit derrière votre nuque. Maintenez 10 secondes, relâchez. Même exercice avec le coude gauche.

— À quatre pattes, faites le dos rond, plat et creux. 10 répétitions.

— Toujours à quatre pattes, faites le chien qui fait pipi. 10 répétitions de chaque côté.

— Debout, jambes écartées largeur bassin, vous vous mettez accroupi 10 fois de suite.

3e phase : j'ai commencé cette troisième phase après avoir perdu mes 20 kg.

Il était temps pour moi de faire travailler un peu mon rythme cardiaque, l'activité cardio-vasculaire étant l'activité qui fait maigrir.

Dans la vie quotidienne, faire les mêmes exercices que ceux exposés ci-dessus.

Exercices : 10 minutes de vélo d'appartement.

C'est seulement à ce moment précis que j'ai pu remonter sur cette machine de torture. Après ma chute, j'étais assez réticente, mais je me suis lancée. J'ai déjà eu beaucoup de mal à grimper dessus, et la première séance de vélo a été horrible. Avec ma serviette éponge sous le derrière, je pédalais doucement. Les premières 10 minutes ont été interminables. J'ai cru que la séance ne finirait jamais. Je transpirais comme une vieille « vache asthmatique ». Mon tee-shirt me collait à la peau et j'avais d'énormes auréoles sous les bras et dans le dos. Les gouttes de sueur dégoulinaient sur mes joues et mes lunettes étaient pleines de buée.

Les séances qui ont suivi ont été de moins de moins difficiles. Je tenais plus longtemps le rythme et transpirais moins. Il faut dire aussi que je faisais tout pour me donner du courage. J'avais la musique à fond dans le salon et m'imaginais sur le Tour de France, accompagnant les grands champions cyclistes, sur des airs de Jean-Jacques Goldmann :

« *Tournent les vies oh tournent et s'en vont*
Tournent les violons » (« Tournent les Violons »)

— Allez plus vite...

« *Elle vit sa vie par procuration*
Devant son poste de télévision » (« La Vie par procuration »)

— Plus que 8 minutes...

« *Envole-moi*
Loin de cette fatalité qui colle à ma peau » (« Envole-moi »)

— J'y arriverai !
Et là ? Olivier débarquait dans la pièce :
« Bon t'arrête, s'il te plaît ? Tu vas te fatiguer ! »

Le programme que je m'étais préparé me convenait. Je me sentais de mieux en mieux. Je bougeais plus facilement. J'avais beaucoup moins mal aux genoux, aux chevilles et au dos. La forme revenait.

4e phase : *dans la vie quotidienne*, les mêmes exercices que précédemment.

Exercices : je me sentais bien. Capable d'aller plus loin. J'avais perdu alors près de 25 kg. Je voulais passer à la vitesse supérieure et « me faire mal ». Accélérer la cadence, faire céder ce corps, lui faire perdre un max. Le mater !

Quand j'avais 18 ans, je m'étais inscrite à un cours de karaté. Les arts martiaux me passionnaient et j'avais atteint un bon niveau. Ceinture bleue. Cela faisait un petit moment que l'idée de reprendre les arts martiaux me taraudait mais, comme pour l'instant mes grosses cuisses ne me permettaient toujours pas de rentrer dans le kimono, il fallait que je patiente encore un peu avant de m'y remettre.

En attendant, j'ai trouvé un très bon compromis : le DVD de Tae-Bo de Billy Blanks. Cet ancien champion du monde de karaté a développé une nouvelle méthode d'entraînement en combinant une musique rythmée à des mouvements de taekwondo et de boxe. S'apparentant à la danse aérobie, le Tae-Bo, comme Blanks l'a nommé, est rapidement devenu l'activité physique la plus populaire parmi la clientèle de son centre sportif.

C'est un collègue qui m'a parlé de Tae-Bo, activité qu'il pratiquait en guise d'échauffement lors de ses séances de football. Intriguée, j'ai fait des recherches sur Internet et j'ai découvert tout l'univers et les bienfaits du Tae-Bo. J'ai acheté quelques DVD et c'est comme ça que mon histoire avec le sport a débuté.

Vous avez différents niveaux de difficultés et je vous conseille fortement si vous voulez vous mettre au Tae-Bo de commencer par le niveau débutant et de ne pas vouloir à tout prix finir la séance. Évidemment, ce n'est pas du tout ce que j'ai fait. J'ai mis en route le DVD « expérimenté » et j'ai voulu tout de suite faire toute la séance, la plus difficile.

Le résultat ne s'est pas fait attendre : kyste poplité derrière le genou, nécessitant plusieurs jours d'arrêt.

Cet épisode m'a fait prendre conscience que j'étais allée trop vite, trop loin dans mon activité physique. Il faudrait que je me calme à l'avenir...

La reprise effective

Après avoir mené à terme mon programme de retour à une activité sportive, il était temps pour moi de passer à la vitesse supérieure et de reprendre effectivement une activité sportive.

On était en mars 2006 et j'avais perdu près de 37 kg. Je retravaillais également depuis deux mois, avec des horaires difficiles.

Ma reprise sportive imposait tout d'abord l'intégration des séances dans mon emploi du temps. Par ailleurs, j'avais quelques exigences supplémentaires.

Il était hors de question pour moi de suivre le moindre cours de fitness (le fitness englobant les activités de cardio-training). D'abord, parce que je n'ai jamais été capable d'identifier à quoi correspond un cours de fitness. Est-ce que vous savez, vous, ce que sont exactement « le Body Pump », « le F.A.C. » ou le « Body Balance » ? Ben moi pas ! Je voulais être sûre donc en m'inscrivant dans une salle de pouvoir faire exclusivement des activités de cardio.

Ensuite, parce que ce genre d'activité est souvent fréquenté par des nanas ultra minces et bien faites, qui passent leur temps à se dévisager dans les énormes miroirs des salles de sport, à parler de la dernière crème dépilatoire ou du dernier tee-shirt à la mode. Généralement, ce sont ces mêmes spécimens qui ont une fâcheuse tendance à dévisager les pauvres filles comme moi qui ont le malheur de fréquenter une salle de sport. (Vous remarquerez quand même ici que je n'ai pas précisé la couleur de leurs cheveux !)

Je ne voulais pas être une bête de foire et m'exposer à des regards peu compréhensifs ou inquisiteurs. Même si je savais que j'avais affaire à des Q.I. d'huîtres, je ne voulais pas relever les réflexions. Je voulais me fondre dans la masse et faire ma petite séance sportive quotidienne dans la plus grande discrétion possible.

Enfin, tout bêtement, parce que mes horaires ne me le permettaient pas. D'ailleurs, là où je m'étais renseignée, les cours commençaient à 16 h 30 pour se terminer à 18 h 30, juste une plage horaire qui ne peut être fréquentée que par des dindes écervelées ou par des mamies retraitées.

Alors, fitness oui, mais seulement pour la partie de cardio-training, avec des elliptiques, steppers, vélos et autres machines de torture de ce type.

Je me suis donc mise à la recherche d'un club où je pourrais pratiquer le cardio en toute liberté.

Je suis allée en premier lieu dans le grand centre de fitness et de remise en forme situé à quelques kilomètres de mon lieu de travail. La salle se situait sur une zone d'activité, à côté d'un immense centre commercial. Les lieux étaient faits exclusivement de verre et d'acier. La façade était flamboyante. Des enseignes lumineuses bleues et vertes se relayaient en permanence pour illuminer ce temple de la forme.

À l'entrée, après avoir passé un vigile, monté des escaliers lumineux et franchi le portail de sécurité, je me suis approchée du comptoir phosphorescent pour prendre des renseignements.

Il a déjà bien fallu attendre un quart d'heure avant qu'on daigne s'occuper de moi. Quand enfin une hôtesse, toute de bleu et de vert vêtue, s'est approchée, elle m'a tendu la brochure des activités et m'a dit d'emblée :

« Je te laisse regarder, je reviens dans cinq minutes. »

Là, j'étais énervée ! Les gens qui me connaissent savent très bien que la patience n'est pas mon fort du tout. Mais, en plus, le tutoiement direct, je ne peux pas ! Même si c'est censé mettre à l'aise, faire « décontracte », et être *fashion*, je trouve que ça manque de naturel et que c'est totalement déplacé lors d'un premier contact.

Lorsque l'hôtesse est revenue dix minutes plus tard, elle m'a dit :

« Bon, entre, je vais te faire visiter. »

Je bouillais !

Je passe à nouveau un portique de sécurité. Je me demande si une sécurité au sein d'un club de sport se justifie. Évidemment non !

L'hôtesse commença par me montrer toutes les installations. Il faut reconnaître que les lieux étaient magnifiques et que c'était vraiment le « must » en matière d'appareils sportifs. Le club possédait également un sauna, un hammam, une salle de soins, une salle de repos avec la télévision et une salle de location de DVD.

Il y avait aussi un panel impressionnant de mes copines volatiles en train de parler cette fois de l'étude comparative publiée dans *Closer* sur les savons intimes !

On s'est assis autour d'une petite table ronde. Et là, j'ai eu droit à un de ces festivals ! Quand je repense aujourd'hui à cet entretien, je suis encore impressionnée par le grotesque de l'attitude de cette employée et fascinée par sa faculté à débiter autant d'idioties en aussi peu de temps :

« Alors voilà, moi c'est Jessica, mais tu peux m'appeler Jess', c'est plus *cool*.

Pour les tarifs, ce ne sont que des forfaits à partir de 110 euros pour deux mois. Ça comprend un coaching personnalisé, qui va te montrer pendant six heures (2 × 3 heures) comment apprivoiser les machines de fitness. C'est méchant, tu sais, ces grosses bêtes.

Avec le forfait, tu as droit à deux heures de sauna par semaine. Je vois que tu en as besoin.

Pour les appareils de fitness, l'accès est illimité. Mais il faudra quand même que tu en descendes. Il faut bien manger et faire pipi… (Rire énorme de l'employée). »

J'étais bouche bée. Partagée entre un énorme fou rire qui me gagnait progressivement, une colère qui montait dangereusement et le choc provoqué par le prix de l'abonnement.

« Ben, euh, en fait, je n'ai pas besoin de tout ça. Je voudrais simplement avoir accès tranquillement aux machines de cardio, deux à trois fois par semaine. Rien de plus. Je n'ai pas besoin d'un coach personnalisé. Je connais ces machines et, surtout, je veux faire ma séance tranquillement.

— Oh, mais c'est O-BLI-GA-TOI-RE, cria la jeune femme, complètement hystérique. Vous ne pouvez pas vous passer d'un coaching. On n'a jamais vu ça.

— Bon, on verra... Pouvez-vous me donner les conditions générales de votre contrat d'abonnement ?

— Les quoi ? Je ne sais pas ce que c'est. Personne ne demande jamais ça.

— Ce sont toutes les petites lignes imprimées au dos du papier que vous avez dans les mains.

— Ah, ça, je les ai jamais lues, s'esclaffa-t-elle.

— Bon, écoutez, je ne pense pas que l'on pourra s'entendre. Je vous laisse avec votre coach et vous souhaite une bonne journée. »

Je me suis levée comme un frelon et j'ai planté sur place ma cruche d'interlocutrice. La pauvre fille n'a même pas eu le temps de me retenir. J'ai descendu l'escalier, franchi à nouveau un portail de sécurité et me suis retrouvée dehors, sur l'immense parking qui bordait le club de sport. J'étais soulagée d'être dehors. Je respirais profondément et retrouvais mon calme.

Mon Dieu, ce n'est pas permis d'être aussi stupide ! Cela dépasse tout ce que l'on peut imaginer. Non seulement j'avais perdu mon temps mais, en plus, je ne savais toujours pas où j'allais pouvoir m'inscrire.

En reprenant ma voiture pour retourner à mon travail, seulement quelques minutes après cet épisode navrant, mon attention fut attirée par une enseigne lumineuse rouge et jaune, près de la voie de chemin de fer. C'était une autre salle de sport. Petite, discrète, située à côté d'un cabinet de kinésithérapeute.

Le temps de me garer et j'étais déjà accoudée au comptoir de la salle. C'est Muriel qui m'a accueillie sans attendre. Petite, fine et particulièrement musclée, elle a commencé, elle aussi, par me faire visiter les lieux.

L'entrée était meublée d'une immense armoire dans laquelle trônait une centaine de trophées, médailles et autres souvenirs de compétitions sportives. La salle était gérée par les kinésithérapeutes du cabinet voisin, anciens athlètes de haut niveau. L'endroit n'était pas très grand, mais particulièrement lumineux en raison de sa grande baie vitrée sur le toit. Chaque rayon de soleil qui pénétrait se réfléchissait sur les murs blancs de la salle. Dans chaque coin se trouvait un poste de télévision branché sur une chaîne sportive. En entrant, on tombait directement sur tous les appareils de musculation. Au fond de la salle, se trouvaient toutes les machines de cardio-training. Elliptiques, stepper, rameur, vélo. Que du matériel récent et performant, nettoyé derrière chaque utilisateur et entretenu avec minutie. Après avoir emprunté un escalier en colimaçon, on tombait au premier étage sur une immense salle de fitness. Elle était magnifique, avec son parquet clair et ses immenses miroirs. En face se trouvaient les vestiaires.

Après la visite, Muriel m'expliqua le fonctionnement de la salle et me proposa les différentes formules d'abonnement. C'était court, clair et précis. Tout ce que j'aime. Aucun coaching imposé, liberté de pratiquer le cardio tranquillement, à des prix défiant toute concurrence.

Cerise sur le gâteau : aucun volatile à l'horizon !

Le seul *hic*, les horaires : la salle n'était ouverte que deux fois par semaine entre midi : le mardi et le jeudi. C'était mieux que rien, et ça me permettait d'envisager de compléter ma semaine par une autre activité.

Je me trouvais au fond de la salle. J'étais prête à entamer un périple avec mon nouveau copain, le DKN XM-2, vélo elliptique de son état.

Le vélo elliptique est spécialement conçu pour un entraînement complet. Il permet de s'exercer sans impact sur les articulations grâce à un mouvement reproduisant celui du pied lors de la marche ou de la course, comme décrit avec le schéma ci-dessous.

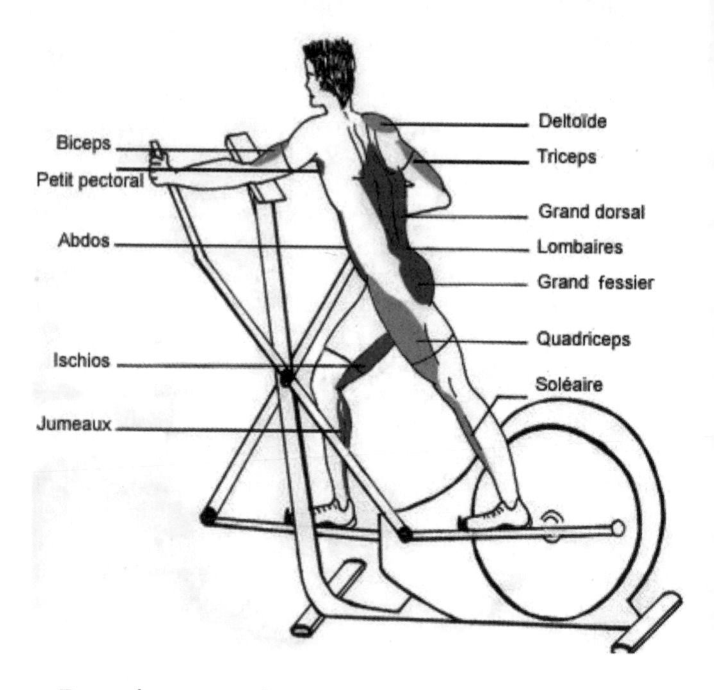

Dans des termes beaucoup plus profanes, l'elliptique est un des appareils de cardio-training qui va vous permettre de brûler pas mal de graisses.

Mon image se reflétait dans tous les miroirs qui m'entouraient. J'étais debout sur cette machine, poignées de l'elliptique en main, programme « brûle-graisse » activé. Je me suis lancée. J'avais un peu l'impression de faire du ski de fond, sans la neige et le froid. À chaque tour, je sentais mes kilos décoller de mon derrière et retomber lourdement sur les cuisses. J'y allais doucement. Il n'était pas question de me blesser à nouveau. Mais, malgré ma faible allure, au bout de cinq pauvres petites minutes, je sentais déjà la sueur perler sur mon front. L'effort était intense. J'avais le souffle court et je pouvais ressentir chaque muscle de mes bras ou de mes jambes. Il fallait surtout que je tienne... Au moins un quart d'heure.

À jeun pour cette première séance, dix minutes s'étaient écoulées sur l'elliptique. Je continuais. J'étais rouge pivoine et de lourdes gouttes coulaient sur mes joues. Mes tempes battaient au rythme de mon cœur et j'avais l'estomac noué.

Je n'ai pas pu aller plus loin que ces douze minutes et trente-sept secondes lors de cette première séance. Je tournais. Je m'hydratais et respirais profondément. Muriel qui m'avait observé tout au long de cet exercice se rapprocha de moi :

« Ça va Chris ?

— Oui, oui, ça va, mais je ne pensais pas que ce serait aussi difficile, lui ai-je répondu à bout de souffle.

— Attends, c'est normal si tu reprends. Il va falloir plusieurs séances pour t'habituer.

— Oui, je vois ça.

— Le but est que tu gagnes en endurance. Demain, tu feras treize minutes, puis après-demain quatorze. Il ne faut pas te décourager.

— Ça ne risque pas.

— *Cool*, alors on arrête ici aujourd'hui et je te vois jeudi.

— D'accord, à jeudi. »

Muriel avait raison. Toutes les séances qui ont suivi ont été de moins en moins difficiles et de plus en plus longues. Je développais une aisance sur la machine, je gérais mon souffle et augmentais progressivement l'intensité. J'étais bien. La seule chose qui me dérangeait encore, c'était de voir mon gros derrière se refléter dans tous les miroirs.

Au fur et à mesure des séances, j'ai alterné les appareils de cardio. Mon coach préféré m'avait bien incitée à alterner séances de fitness et séances de musculation, mais je ne voulais pas ralentir ma perte de poids. Je ne passerais à la musculation qu'une fois entrée dans la phase de stabilisation. Muriel m'avait donc préparé un petit programme sur mesure. Je passais de l'elliptique, au tapis de course, pour finir sur le vélo. J'en ai bavé si vous saviez ! J'essayais de faire des séances de 45 minutes à 1 heure. Mais, bien souvent, j'avais du mal à atteindre les 40 minutes d'exercices. Pour progresser, il n'y avait pas d'autre choix que de recommencer des séances, encore et encore, en essayant d'être le plus régulier possible.

Mes séances de cardio-training me plaisaient énormément, mais les horaires d'ouverture de la salle, juste deux jours par semaine, entre midi et deux, m'empêchaient justement d'avoir cette régularité suffisante. Il fallait donc que je trouve une activité que je puisse pratiquer les autres jours aux mêmes horaires. Les activités étant particulièrement limitées le temps de midi dans ces petites communes luxembourgeoises, mon choix se fit presque naturellement : la natation. Seule la piscine d'Esch-sur-Alzette, bourgade luxembourgeoise de 30 000 habitants, était ouverte tous les jours de la semaine aux heures des repas.

Cette piscine, appelée « Les Bains du Parc », trône en plein centre ville, devant la place ronde de la Libération. Construite dans les années trente dans un style architectural propre au Grand-Duché de Luxembourg, la piscine a été rénovée en 2003. Son aménagement suit le concept d'un espace de loisirs et de détente, convivial et accueillant. La piscine dispose d'un grand bassin de natation équipé d'un plongeoir, d'un bassin d'apprentissage, d'un bassin pour enfants et jeux d'eau, ainsi que d'un toboggan de quarante mètres. Enfin, le bassin extérieur et son banc de massage sont ouverts pendant toute l'année.

En entrant dans ce complexe sportif, je fus saisie par la beauté des lieux. L'entrée de la piscine est entièrement recouverte de marbre blanc. Aux murs siègent des écrans plats passant en boucle des messages publicitaires. L'accueil, posé sur un parquet de chêne clair, est formé d'un carré de quatre comptoirs en bois clair, sur lesquels se trouvent tous les ordinateurs et écrans de contrôle des bassins. En passant le portique de sécurité, le personnel de la piscine, vêtu d'un uniforme rouge, blanc et noir, vous guide jusqu'aux vestiaires. L'endroit est d'une propreté impressionnante. Pour ranger vos affaires dans les casiers, vous avez une sorte de bracelet « électronique » qu'il faut placer sur le casier pour en déclencher l'ouverture ou la fermeture. J'étais vraiment impressionnée. La seule chose qui me déplaisait était l'absence de cabine. À la manière impudique des Allemands, hommes et femmes séparés tout de même, personne n'hésitait à se dévêtir devant l'autre, à prendre sa douche nu, sans aucun complexe. Mais cette gêne passée, je pouvais profiter pleinement du bassin des nageurs.

La piscine était séparée en deux par une ligne d'eau. Un côté « baigneurs », un côté « nageurs ». Je me suis placée naturellement du côté des nageurs. Je m'étais fixé un programme simple. Ne sachant pratiquement pas nager le crawl, je me contenterais de faire déjà vingt longueurs de 25 m en brasse (500 m).

Comme pour mon copain l'elliptique, ma première séance de brasse fut particulièrement éprouvante. Saisie par la température de l'eau (plus que froide), j'avais parcouru les premières longueurs trop rapidement. J'étais essoufflée, et il était indispensable que je fasse une petite pause entre chaque longueur. J'avais l'impression de ne pas avancer. À chaque battement de jambes, je sentais remuer mes fesses et mes cuisses. Lunettes bien plaquées contre mes yeux, j'essayais à chaque mouvement de bras de plonger ma tête sous l'eau et de reprendre mon souffle doucement.

Les séances qui suivirent ne furent guère plus performantes. Il m'a fallu attendre un bon mois, à raison de trois séances par semaine, pour que j'arrive enfin à bout de ces vingt longueurs.

Progressivement, j'ai augmenté ma distance. Je glissais sur l'eau. Je sentais moins mon gros derrière jouer les flasques. J'arrivais de mieux en mieux à gérer mon souffle et à garder la tête sous l'eau. Au mois de juin 2006, soit trois mois après mes débuts de nageuse, je parvenais à parcourir en brasse une distance de mille mètres, soit quarante longueurs, lors d'une séance de quarante-cinq minutes.

J'étais fière de moi et bien décidée à poursuivre toutes mes séances sportives entre midi et deux heures.

Une autre idée me taraudait l'esprit depuis un bon moment : celle de reprendre les arts martiaux, et plus précisément les cours de karaté. Avant mes problèmes majeurs de poids, vers l'âge de 19-20 ans, je m'étais inscrite dans le petit club de karaté de ma ville natale et j'avais réussi en deux ans à décrocher ma ceinture bleue de karaté (1er niveau blanc, 2nd jaune, 3e orange, 4e vert, 5e bleu, 6e marron et, dernier niveau, noir). Puis, suite à ma mauvaise fréquentation amoureuse, j'avais arrêté avec un réel regret ce sport. Mon poids avait été tel ensuite que je ne parvenais même plus à l'époque à rentrer dans le pantalon de mon kimono.

Maintenant que ma taille me permettait à nouveau d'en découdre sur un tatami, reprendre des cours de karaté devenait une évidence.

Suivant les conseils d'un de mes collègues, je me suis donc présentée dans ce petit club de Metz, en septembre 2006. « Le Bushido Club » se trouve dans une petite rue étroite parallèle au centre hospitalier. Son enseigne jaune et verte signale fortement sa présence et affiche clairement son orientation « Arts martiaux ». Le club s'étend sur plusieurs étages. Au rez-de-chaussée, en entrant, on trouve les vestiaires, un solarium, l'accueil et la salle de musculation. Au premier étage se trouve la salle de boxe et, au dernier étage, le dojo (tatami, salle d'arts martiaux).

Je m'accoudai sur le grand comptoir blanc de l'accueil :

« Bonjour, je souhaiterais des renseignements pour le cours de karaté s'il vous plaît.

— Certainement, Madame, me répondit l'employée. Alors les cours de karaté se déroulent le lundi, mercredi de 18 h à 19 h 30 et le samedi de 10 h 30 à 12 h.

— Ah ! il n'y aurait pas de problèmes pour le cours de samedi matin. En revanche pour les deux autres cours dans la semaine, je ne pourrais jamais être à Metz à 18 h. Je quitte le Luxembourg à 18 h. Alors, payer l'abonnement complet pour seulement un cours par semaine me dérange quand même.

— Dans ce cas, je peux vous proposer une autre formule. Pour le même tarif, vous choisissez le cours de karaté le samedi matin et, en complément, vous faites par exemple le cours de boxe française le mardi à 19 h 45. Est-ce que ça vous conviendrait ?

— De la boxe française ?

— Vous verrez, c'est proche du karaté en ce qui concerne les mouvements.

— Bon, c'est d'accord, soyons fou. »

Je ne vous raconte pas la tête d'Olivier quand je suis revenue à la maison et que je lui ai annoncé que j'allais faire de la boxe française.

« Non, mais t'es pas bien ? me lança-t-il.

— C'est uniquement pour les horaires, chéri. Si je n'avais pas choisi ça, j'aurais payé le plein tarif pour seulement une heure et demie de karaté le samedi. C'est un bon compromis non ?

— On verra quand tu auras le nez cassé si tu trouves que c'est toujours un bon compromis, ajouta mon mari, inquiet.

— On verra bien. »

J'ai pris mon premier cours de boxe le mardi suivant mon inscription. Les séances étaient dirigées par un personnage hors norme. Jacques a une cinquantaine d'années. Lorsqu'il arrive au cours, cheveux grisonnants, « décontracte » et mal fringué, il a toujours l'air de débarquer de Mars, après un voyage interplanétaire de cinq mille ans. Bien que professeur de français dans le civil, il a, par dérision, un langage de charretier. Jacques est aussi un boxeur hors pair et un technicien haute gamme. Derrière son allure « je m'enfoutiste », il sait captiver l'attention et faire passer ses informations. Ses entraînements étaient particulièrement draconiens, presque militaires.

On commençait les séances par du renforcement musculaire. Au sol, allongé sur un petit tapis, genoux en l'air, jambes repliées, on commençait toujours par trois ou quatre séries d'une centaine d'abdominaux. On enchaînait souvent par plusieurs séries de pompes. Je me souviens lors du premier entraînement d'avoir été littéralement scotchée par l'intensité des exercices. Il n'y avait aucune distinction entre homme et femme, on devait impérativement suivre le rythme.

Généralement le cours se poursuivait par des exercices techniques et tactiques. On travaillait les esquives, les enchaînements de pied, poings visage, plexus, les balayages.

Pour finir, c'étaient les combats. D'abord progressifs, en utilisant juste les poings, puis en intégrant les jambes sur les techniques sous la ceinture, pour terminer sur les combats libres.

Je me bats aussi bien contre des hommes que contre des femmes. J'adore le moment de ces assauts. J'attends mon adversaire, tourne autour de lui, cherche la faille lorsqu'il baisse sa garde et je frappe, je cogne, je me défoule. Toujours dans le respect des règles et du combattant qui est en face de moi, mais j'y vais franchement. Je ne le laisse pas respirer, j'enchaîne mes mouvements et mes techniques. Par moments aussi, c'est moi qui suis la souris entre les pattes d'un chat, et j'en prends plein la figure. Mais c'est aussi ça les risques du jeu. Il est courant que je revienne de la boxe avec les jambes couvertes de bleus, au grand désespoir de mon mari. Je me souviens même une fois être rentrée avec un œil au beurre noir. J'avais fait sensation à mon travail et mes collègues avaient été particulièrement surpris d'apprendre que la responsable juridique de la boîte pratiquait la boxe française et le karaté, comme si ma fonction était incompatible avec la pratique de telles activités.

Parallèlement à la boxe française, j'avais donc également repris les cours de karaté. Les entraînements étaient eux aussi très difficiles. Dirigés par Thierry, petit homme trapu, dégarni, avec les cheveux longs dans la nuque, ouvert et très sympathique, les séances prenaient l'allure de parcours du combattant. Entre les étirements, les assouplissements, le renforcement musculaire, les « ki hon » (exercices techniques), les « katas » (combats virtuels) et le « kumité » (combats), je peux vous assurer qu'en ressortant du tatami, une seule idée me venait à l'esprit : celle de prendre une douche et d'aller faire une sieste.

Comme en boxe, j'adore cette ambiance particulière qui règne dans le dojo, empreinte à la fois de spiritualité et de brutalité. On évacue tout le stress du quotidien et on ne pense plus à rien.

Une belle rencontre

À force de faire du sport tous les midis, on finit par rencontrer toujours les mêmes personnes, les plus fidèles, et par créer des liens. C'est en allant à la piscine que j'ai rencontré un ami fidèle, généreux, ouvert et sympathique. Joseph a une cinquantaine d'années, mais en fait facilement dix de moins. Châtain foncé, d'une corpulence moyenne, musclé, c'est un passionné de sport en général et de natation en particulier. Toujours soucieux d'adopter la meilleure technique pour améliorer ses performances, attentif au moindre dixième de seconde perdu sur une course ou au petit détail qui lui fera gagner du temps, Joseph est un champion de natation.

Nous avons d'abord échangé quelques mots dans l'eau, et puis nous avons sympathisé. Au début, toutes nos conversations tournaient exclusivement autour de la natation.

« On essaye un petit chrono Chris ?

— Oh, tu sais, je ne suis pas très performante. Je ne fais que 1 000 m en brasse. Doucement, à mon rythme.

— Mais tu n'as jamais essayé le crawl ?

— Je ne sais pas très bien le nager. Je fatigue extrêmement vite. Je fais 50 m et je n'en peux plus.

— Si tu veux, je pourrais nager avec toi, à ton rythme. On pourrait essayer de varier un peu tes entraînements. Qu'en dis-tu ?

— Oui, si tu veux, mais je ne veux pas te retarder. Je ne vais pas pouvoir te suivre.

— Franchement, en te regardant, je suis convaincu que tu peux faire de belles performances en natation. Moi, j'ai seulement commencé à nager de la sorte il y a quatre ans. Récemment, j'ai participé au championnat d'Europe de natation en Slovénie. Je suis sûr que tu peux y arriver. Est-ce que tu veux essayer ?

— Oui, volontiers. »

C'est donc comme ça que Joseph est devenu en quelque sorte mon entraîneur. On commençait toujours par 250 m de brasse. Puis on enchaînait nos séances par des exercices de planche. Pour commencer le crawl, je mettais les palmes et j'essayais de suivre Joseph. Déjà sur dix longueurs, puis sur vingt, en accélérant à fond sur les deux dernières. Quel plaisir je prenais à faire ces courses, à aller toujours plus loin, à franchir quelquefois mes limites.

De quarante longueurs en brasse, je suis vite passée à des exercices beaucoup plus variés. J'alternais les nages. Joseph restait à côté de moi, m'accompagnant à chaque mouvement, m'attendant souvent à la fin de chaque longueur.

Notre complicité dans l'eau s'est très vite transformée en véritable amitié dans la vie. Moi qui ne croyais pas en l'amitié entre un homme et une femme, j'ai très vite changé d'avis. Nous allons souvent boire un petit café « Chez Chantal » après nos séances. Nous échangeons nos avis sur tous les sujets de discussions possibles et imaginables, nous correspondons tous les jours sur nos « Outlook » du bureau, nous nous prêtons DVD ou livres. Joseph s'est dévoué pour faire quelques travaux à la maison lorsqu'Olivier et moi avons déménagé et m'a même aidée à me corriger pour la rédaction du présent ouvrage.

Notre complicité s'est même développée dans d'autres sports. Comme je continuais mes séances de cardio-training deux jours par semaine, j'ai proposé à Joseph de venir avec moi. Nous nous retrouvions donc tous les jours entre midi et deux pour nos séances sportives.

Joseph quant à lui m'a entraînée vers la course à pied.

« Tu sais, Chris, toi qui cherches à faire travailler tes jambes un maximum, la course à pied est un des meilleurs sports pour ça. Je suis certain que si nous faisions deux séances par semaine, tu te musclerais les fesses et les cuisses comme tu le souhaites.

— Franchement Joseph, je n'aime pas la course à pied. Je n'arrive pas à courir, je suis à bout de souffle tout de suite. Quand je faisais de l'endurance au collège, le prof nous poussait toujours à bout, hors de nos limites. J'ai un souvenir absolument détestable de la course.

— Ah bon, mais on irait doucement. Je courrais avec toi. Comme on a fait pour la natation.

— Bof...

— Tu ne veux pas juste essayer une fois ?

— Bon, d'accord, juste une fois, pour voir ce que ça donne. Mais tu es prévenu, je suis nulle.

— Ne t'inquiète pas, on verra. »

Suite à cette petite conversation, nous nous sommes retrouvés au stade de cette petite ville luxembourgeoise. C'est un endroit assez sympathique, situé à l'orée d'une forêt. Même si les vestiaires sont assez rudimentaires, le stade possède de belles infrastructures. Une piste d'athlétisme en quick orange et blanc, un terrain de football et rugby, et une aire d'entraînement sur le côté. Juste ce qu'il fallait comme équipement pour en baver déjà un maximum.

J'avais de vieilles baskets et un survêtement bleu. Joseph, pas du tout frileux, avait sorti le short de course et le tee-shirt. Nous avons commencé à tourner sur la piste très lentement. Il pleuvait légèrement. Je sentais les fines gouttes me piquer le visage. Je ne parlais pas. J'essayais de me concentrer sur mon souffle, mais le premier tour de 400 m n'était pas encore terminé que je sentais déjà mon diaphragme se contracter et le point de côté s'insinuer doucement sous mes côtes.

« Là, je dois marcher, je n'en peux plus.

— Déjà ? me répondit Joseph.

— Je suis désolée, je n'arrive pas à respirer.

— Pas de problème, on marche un peu et on recommence.

— Ok. »

J'étais déjà toute rouge. Heureusement que la pluie me rafraîchissait, sinon je pense que je me serais consumée sur place. Nous sommes repartis après cinq petites minutes de pause. Le point avait disparu et j'avais récupéré un peu mon souffle. J'ai recommencé à courir sur le même rythme, sans forcer. J'ai réussi à tenir deux tours sans m'arrêter.

Après cette première séance, je pouvais ressentir toutes mes alvéoles pulmonaires, j'avais les joues d'un alcoolique qui n'avait pas dessoulé depuis trois mois et mon survêtement était trempé. Mais même si ma performance avait été lamentable pour n'importe quel coureur, j'étais assez fière de moi. Fière de l'avoir fait, fière d'avoir relevé ce défi. J'avais même presque envie de recommencer une prochaine fois. Alors, quand Joseph m'a demandé si on pouvait recommencer, je n'ai pas hésité une seule seconde.

Compte tenu de la multiplication et de la diversité de mes entraînements, j'ai pu constater une progression absolument phénoménale de toutes mes performances.

J'ai progressé d'abord en natation. Évidemment, avec Joseph, il ne pouvait pas en être autrement. Alors qu'au départ, je ne parvenais qu'à faire quarante longueurs en brasse (1 000 m), aujourd'hui, il n'est pas rare d'approcher lors de nos entraînements les cent vingt longueurs (3 000 m) soit presque le triple sur une durée d'environ une heure, et ce, en adoptant la brasse, le crawl, et quelquefois même le dos et le papillon. Je prends énormément de plaisir lors de nos séances. Même si je ne parviens toujours pas à suivre Joseph, à armes égales, c'est-à-dire sans palmes, j'apprends chaque jour encore de nouvelles choses, j'expérimente de nouvelles techniques et ma marge de progression est encore importante.

Sur mon copain l'elliptique, ma progression a été également remarquable. Je peux aujourd'hui sans difficulté tenir une séance de soixante minutes sans interruption de cardio. Je gère mon souffle, je transpire beaucoup moins. J'arrive presque à papoter avec Muriel pendant mes séances d'elliptique, ce qui, il y a quelques mois, aurait été inconcevable.

Pour les arts martiaux, j'ai bien perfectionné mes techniques. En karaté, j'ai obtenu le grade de la ceinture marron et je prépare ma ceinture noire. J'ai encore énormément de travail, n'étant pas du tout au niveau pour les exercices de katas. Mais je travaille et je l'aurai, même si ça doit prendre du temps. En boxe, je stagne un peu plus, mais j'ai toujours la pêche et l'envie d'aller plus loin.

En ce qui concerne la course à pied, mes résultats ne sont pas mirobolants, mais ma progression a été assez spectaculaire. Partant de rien, j'arrive aujourd'hui à faire des courses de cinq à sept kilomètres. Alors, certes, les chronos sont assez lamentables, mais l'important pour moi est de participer et d'arriver au bout de la course, sans m'arrêter, sans lâcher à aucun moment. Ma marge de progression en course à pied est encore considérable.

J'ai pu aussi constater une progression phénoménale au niveau physique. Avec tout ce sport, mon corps s'est complètement métamorphosé. Aujourd'hui, j'ai le buste particulièrement musclé, les bras fuselés et une plaque abdominale très bien dessinée. J'ai vu un changement considérable également au niveau de mes jambes. Même si je déteste encore mes jambes à cause du surplus de peau toujours visible, on voit distinctement mes longs adducteurs sur mes cuisses. Pendant que mes collègues soufflent en grimpant les escaliers du bureau, moi, je les grimpe quatre par quatre sans rien éprouver du tout.

Bonjour compétitions et performances

« Tu sais, Chris, avec ce que tu réalises à l'entraînement, je suis sûr que tu péterais les chronos en compétition. »

J'entends encore cette petite phrase de Joseph dans ma tête. Mon idée en reprenant le sport, c'était essentiellement de retrouver la forme et d'être bien dans mon corps et mon esprit.

Mais jamais de la vie, je n'aurais pu imaginer un jour qu'une ancienne obèse comme moi aurait pu faire des compétitions et même gagner dans ce genre de challenge. Jamais je n'aurais pu penser un jour aligner des performances et rentrer dans ce jeu de défis. Et pourtant…

Ma première compétition se déroula le 23 octobre 2007 à la piscine universitaire de Merl à Luxembourg Ville, pour l'Open des Masters de natation. C'est une compétition internationale qui rassemble une dizaine de nationalités. La piscine est magnifique. Tout autour de ce bassin olympique siègent les tribunes. Les murs sont faits de bois et d'immenses baies vitrées. Les lignes d'eau bleues et blanches tracent dans l'eau huit couloirs pour les nageurs. Les plots de départ, bleus azur, tranchent avec le sol d'un blanc immaculé. Les drapeaux de toutes les nationalités présentes à cette compétition pendent au plafond. Un énorme tableau d'affichage noir surplombe tout le bassin.

Joseph m'avait simplement inscrite pour une seule course, le 50 m brasse. Lui participait à quatre courses différentes. Céline, sa fille, et Lucien, un collègue, nous avaient accompagnés pour nous soutenir lors des épreuves. En voyant la taille du bassin, et le monde qui siégeait dans les tribunes, je n'étais pas encore en maillot de bain que je stressais déjà. Je ne savais rien de la compétition de natation, je n'avais jamais pris de cours de ma vie, je ne connaissais ni les règles de la course ni le calcul des classements. Et si je perdais mes lunettes en plongeant ? Et si je faisais un faux départ ? Est-ce que j'entendrai le coup de sifflet ? Et puis, est-ce que je ne suis pas ridicule en maillot avec mes grosses fesses et mes grosses cuisses ?

« Mais arrête de stresser, me lança Joseph, amusé.

— Mais où est-ce que tu m'entraînes Joseph !!

— Ça va bien se passer, ne t'inquiète pas.

— Qu'est-ce que je dois faire alors ?

— C'est tout simple. Au premier coup de sifflet, tu montes sur le plot de départ et tu attrapes le bord du plot. Ils vont annoncer « prêt ». Là surtout tu ne bouges pas. Si tu viens à faire un mouvement, quel qu'il soit, les juges pourraient te disqualifier. Ensuite, quand tu entends le second coup de sifflet, tu plonges et c'est parti pour 50 m. Lors du plongeon, pense bien à mettre ta tête entre tes bras. Si tu relèves trop la tête, tu risques de « prendre une claque » et de perdre tes lunettes. Si ça arrive, continue, ne t'arrête pas. Quand tu arrives au bout du bassin, à l'arrivée, surtout viens toucher le mur avec tes deux mains en même temps. Si tu ne le fais pas, tu es disqualifiée.

— D'accord... je vais faire ma course dans quel couloir ?

— Alors, en fait, les courses se disputent par séries, en fonction des temps d'enregistrement à la compétition. Comme tu n'as jamais fait de course, tu n'as pas de temps de référence. J'ai donc pris un temps indicatif et je t'ai enregistrée à un temps de cinquante-deux secondes pour 50 m brasse. Tu vas donc courir avec des nageuses qui se situent dans le même créneau de temps que toi. Le nageur qui est placé au couloir numéro 5, c'est-à-dire le couloir au milieu de la piscine, le meilleur soit dit en passant, détient le meilleur temps d'enregistrement. Plus les nageurs sont près des bords, moins leur temps est bon.

— Donc, en fait, tout va dépendre du nombre de nageurs engagés dans la compétition et de leur temps de départ.

— Oui, voilà. Donc toi, aujourd'hui, finalement, ton but est surtout de te créer un temps de référence.

— Et pour les médailles ?

— Alors, ce n'est pas parce que tu gagnes une course que tu auras forcément une médaille, et inversement. En fait, tout va dépendre de ta catégorie d'âge et de ton temps. Les catégories d'âge se font de cinq ans en cinq ans. Toi, tu es pour l'instant dans la catégorie d'âge des 25-29 ans. Sur le total des courses, les juges attribuent les médailles, par catégorie d'âge en fonction de leur temps. Par exemple si, dans ta catégorie, vous êtes dix nageurs, et que tu as le meilleur temps parmi ces dix nageurs, c'est toi qui auras la médaille d'or, même si tu es arrivée dernière dans ta course. Pour ta course, tu ne concours pas forcément avec des gens de la même catégorie d'âge. Les courses dépendent des temps.

— Oh oui d'accord. Enfin, c'est quand même plus gratifiant de gagner sa course et de ne pas avoir de médaille, plutôt que l'inverse.

— Oui, c'est sûr.

— Mais ce système ne marche pas pour toutes les compétitions.

— Non évidemment, à très haut niveau, c'est celui qui gagne la course, qui gagne la médaille... et le chèque qui va avec.

— Ah, parce qu'il n'y a pas de chèque ici ?

— Non, Chris, me répondit Joseph en riant. C'est juste pour le plaisir du sport. »

Plus l'heure de ma course approchait, plus mon estomac se nouait. J'entendais résonner dans ma tête tous les cris d'encouragement lancés par la foule. Dans le bassin d'échauffement, je répétais toutes les techniques que Joseph m'avait montrées. J'essayais de glisser sur l'eau, de faire le moins de gestes possible qui me freinent. Je prenais de grandes inspirations avant de plonger la tête sous l'eau. Céline et Lucien profitaient de ces instants de « calme avant la tempête » pour nous mitrailler de photos.

C'était l'heure. J'allais partir dans quelques minutes. J'étais en chambre d'appel, avec mes adversaires. Des femmes de tous âges en effet ! J'avais une chance exceptionnelle. Mon temps d'enregistrement était le meilleur de la série. J'allais partir du plot numéro 5. Le meilleur couloir, mais aussi, celui le plus en vue de la piscine.

Premier coup de sifflet, je montai sur le plot. Là, le temps m'est apparu une éternité. Tout s'est arrêté autour de moi. Debout comme ça sur ce plongeoir, je dominais cette immense étendue d'eau, d'un bleu clair profond. J'entendais tellement les battements de mon cœur que je n'entendais plus les cris du public. J'étais coupée du monde, avec cette idée qu'il fallait que j'y arrive, que je plonge et que j'aille jusqu'au bout. Je tenais fermement le bout du plot, comme me l'avait conseillé Joseph. Et surtout, je ne bougeais plus d'un poil.

« Prêt »...

Et le second coup de sifflet retentit. Je me lançai immédiatement dans l'eau. Je ressortis la tête et

j'enchaînai aussi rapidement que je le pus mes mouvements de brasse. Je tirais sur mes bras, je poussais comme une folle sur mes jambes. Alternativement, je sortais la tête de l'eau et replongeais au maximum. Je ne pensais plus à rien. Mon unique but était d'arriver à l'autre bout de cette piscine immense. Je ne voyais pas mes adversaires, je n'entendais plus rien. J'étais à bout de souffle, je commençais à boire de l'eau et à mal gérer mon souffle. J'avais les bras et les jambes qui tétanisaient. Mais j'allais y arriver. Je voyais le bout du bassin, et cette marque jaune où je devais poser mes mains. J'y étais…

J'ai plaqué mes mains simultanément sur le repère jaune avec une telle force que les juges ont dû voir s'afficher les chiffres de mon temps en caractères gras. J'étais accrochée au bord du mur. J'étais à bout de force, à bout de souffle, je n'en pouvais plus. Joseph et Lucien se précipitèrent vers moi.

« C'est super, Chris, regarde, tu es troisième sur les huit nageurs. C'est génial pour un début.

— Et mon temps ?

— 51,35 secondes, c'est bien. Et puis maintenant, on a un temps de référence.

— Oui, c'est *cool*.

— Allez, sors de l'eau. »

J'étais tellement fatiguée que j'eus beaucoup de peine à m'agripper à l'échelle et à m'extirper de la flotte. Même si je n'avais pas gagné, j'étais tellement fière d'avoir participé et d'avoir fini cette course. Moi, ancienne obèse sévère, j'étais là au bord de cette piscine, parmi des centaines de sportifs, et j'avais participé à cette course. Le bonheur fut total quand Joseph m'annonça que j'étais seconde de ma catégorie d'âge et que, par conséquent, j'avais gagné une médaille d'argent.

Ma seconde compétition fut la course à pied de Saint-Julien-les-Metz, deux semaines tout juste après l'Open de Luxembourg. Joseph nous avait inscrits à l'épreuve du 5 km. Céline, sa fille, y participait également. J'apprécie beaucoup Céline. C'est une jeune femme de 22 ans, dynamique, sympathique et pleine de vie. On s'entend très bien. Elle a hérité de la gentillesse et de la générosité de son père.

Nous nous étions donné rendez-vous, ce dimanche matin de novembre, sur le parking de l'immense complexe cinématographique de Saint-Julien. Le départ des courses avait lieu juste à côté. Le soleil était absolument magnifique, mais il ne devait faire guère plus de 3 ou 4°. J'avais les doigts complètement tétanisés par le froid. En arrivant sur les lieux, les organisateurs avaient installé un grand podium, et une table recouverte de gâteaux, chocolats et autres douceurs. L'ambiance était chaleureuse. Une immense ligne jaune avait été peinte à travers la chaussée, et s'affichaient, partout autour de nous, les noms des sponsors de cette manifestation sportive.

Joseph alla retirer les dossiers auprès du *staff* technique de la course. Avec une simple épingle à nourrice, je plantai ce numéro 534 sur mon tee-shirt. J'avais très froid, mais j'étais excitée comme un sac de puces. Et puis, Joseph eut une réflexion un peu inquiétante.

« Tiens, au fait, je n'ai pas regardé le parcours. »

Cette petite remarque m'interpella immédiatement. Et s'il y avait des pentes ou des côtes à franchir ? Je ne me suis entraînée que sur du plat. Et rien que sur du plat, j'ai du mal à gérer. Alors que va-t-il se passer s'il y a des côtes à franchir ? Le stress me prit immédiatement l'estomac.

« Ça va aller Chris ?

— Ben oui, j'espère juste que c'est un parcours plat.

— Je ne sais pas, c'est vrai, je suis désolé, j'aurais pu y penser.

— Ne t'inquiète pas Joseph, ça ira. »

Les organisateurs nous demandèrent de tous nous placer derrière la fameuse ligne jaune. Tous autour de moi sautillaient, montaient les genoux. Je ne bougeais pas tellement, un peu anxieuse de la suite des événements. Puis le starter retentit, et tous se précipitèrent.

Joseph et moi sommes partis doucement. Céline nous précédait de quelques dizaines de mètres. Je me sentais bien, motivée par cette nouvelle épreuve. Nous n'avions pas fini de parcourir le premier kilomètre quand, sur le parcours, je vis une immense montée, particulièrement pentue. Joseph me regarda avec un air désespéré.

« Ça va aller, Chris ? Tu vas tenir ?

— Je ne sais pas, je tente, je veux aller au bout.

— Allez, courage, je reste avec toi. »

Je commençais à gravir cette pente. J'avais le souffle qui s'accélérait, chaque pas était de plus en plus lourd. Je ralentissais, mais je ne voulais pas m'arrêter. Je souffrais, soufflais et souffrais encore. Ce kilomètre a été une véritable torture. Mais je l'ai gravi... sans arrêt. La course s'est poursuivie sur les deux kilomètres suivants sur du plat, à travers des quartiers résidentiels. J'avais récupéré mon souffle, mais j'avais un peu les jambes meurtries par la pente. Le soleil donnait toujours autant et je ne sentais plus du tout le froid. Le dernier kilomètre était une immense descente. Évidemment, maintenant que nous avions grimpé la petite colline de Saint-Julien-les-Metz, il fallait bien en redescendre. Nous avons accéléré fortement la cadence. Je ressentais chaque pas jusqu'à la nuque. Mes poumons allaient exploser. Les passants qui nous regardaient passer dans la rue nous applaudissaient. C'est sensationnel comme instant. J'étais à fond. À grandes enjambées, je me dirigeais vers la ligne d'arrivée. Quel bonheur ce fut de franchir à nouveau cette ligne jaune.

J'étais exténuée. Joseph et moi avions rejoint Céline qui était en train de boire un bon café. La sueur perlait sur mon front. Avec le froid ambiant, je fumais. C'était impressionnant. Accoudée sur les barrières de sécurité, je restais là, à essayer de reprendre mon souffle. Il me fallut de longues minutes avant de récupérer. C'est ensuite avec un énorme plaisir, et autant de satisfaction, que je me suis accordée un excellent chocolat chaud.

Les compétions qui suivirent furent autant de plaisirs et de stress. Mais elles furent synonymes également d'une belle progression.

En natation, après l'Open Master de Luxembourg, j'ai participé à une épreuve organisée à Metz, puis aux championnats de Lorraine à Gérardmer.

Ma dernière compétition date du 9 mars 2008 à Esch-sur-Alzette au Luxembourg, où j'ai pu enregistrer un temps de 45,81 s au 50 m brasse, soit presque sept secondes de mieux qu'à l'Open de Luxembourg, en moins de six mois.

Aujourd'hui, je suis particulièrement motivée. Je m'entraîne intensément pour faire encore baisser mon temps avec, en vue, évidemment, ma prochaine compétition qui aura lieu fin avril 2008, mais aussi également les championnats de France 2009 et pourquoi pas les championnats d'Europe ? Tout reste possible.

En ce qui concerne la course à pied, j'ai participé, depuis la course de Saint-Julien-les-Metz, à un 5 km dans une petite commune voisine de Metz, à Hayange, et au cross du *Républicain lorrain*, course de 7,5 km.

Ces épreuves ont été éprouvantes et, pour l'instant, je n'ai pas enregistré de grosses améliorations sur mes chronos. En revanche, dans chaque course, je ne me suis jamais arrêtée.

En dehors de la natation et de la course à pied, je me suis également essayée une fois à la compétition de karaté, option kumité, c'est-à-dire combat. L'objectif n'était pas vraiment d'aligner des performances, quoique, si j'avais pu, je l'aurais fait volontiers, mais plutôt d'observer le déroulement des épreuves dans le cadre de ma préparation de la ceinture noire.

Cette compétition eut lieu lors des championnats de Moselle. Nous étions deux de mon club à nous être inscrits à la compétition, Frédéric et moi. Thierry, notre prof, avait fait le déplacement pour nous soutenir et nous apporter ses précieux conseils.

La journée débuta par une épreuve à laquelle je ne m'étais pas vraiment préparée : la pesée. Devant tous les juges, kimono sur le dos, vous grimpez sur une balance et le juge annonce à voix haute votre poids à l'assemblée réunie. À une certaine époque, je pense que je me serais dégonflée et je n'aurais pas participé au championnat. Mais là, même si ce système m'a particulièrement déplu, je me suis lancée. Évidemment, j'étais dans la catégorie des plus de 60 kg. Nous n'étions pas très nombreuses chez les féminines dans cette catégorie !

J'avais d'emblée repéré une fille d'à peu près ma taille, le visage carré, un peu comme Amélie Mauresmo. Pas un seul sourire ne s'esquissait sur son visage. Elle s'échauffait sur le bord du tatami, assez violemment, bruyamment, et ostensiblement.

« C'est une fille de la plus grande école de karaté de Metz, me glissa Thierry. Elle a la réputation d'être une tueuse.

— Ah bon ? Tu crois ?

— Ben, elle en a l'air en tout cas. »

C'est vrai que cette fille était impressionnante. Cheveux tirés en arrière, kimono très ajusté autour de la taille avec sa ceinture rouge (en compétition, les ceintures sont rouges ou bleues), elle avait l'air d'être rapide et féroce au combat. Je n'étais pas très à l'aise. J'espérais secrètement qu'elle ne fasse pas partie de mes adversaires.

Les juges m'invitèrent à me présenter sur la surface de combat. Devinez qui était en face de moi ? La tueuse, l'Amélie Mauresmo des tatamis. J'avalai ma salive.

Trois juges nous entouraient. Je portais la ceinture et les protections bleues, et elle, les rouges. Le combat devait normalement se faire en sept points gagnants. Nous nous sommes saluées. Le juge central recula et lança le combat.

À peine le juge avait-il donné le signal que la bête que j'avais en face de moi se précipita sur moi, avec un terrible coup de poing au visage (*tsuki*). À ce moment précis, j'ai ressenti un sentiment de haine et de colère. En bonne boxeuse, j'ai esquivé son *tsuki*, et je lui ai asséné un coup de poing terrible sur le museau. Mon adversaire se plia en deux, les mains sur son visage. Le juge arrêta le combat immédiatement. Je pensais avoir marqué le point, tellement mon coup avait été rapide, précis et fulgurant. Mais tel n'en a pas été le cas, car ma défense a été jugée trop brutale. J'ai pris un avertissement et le point est allé à mon adversaire dont le nez avait pris de bonnes couleurs.

Le juge nous rappela. J'étais dégoûtée. Il fallait juste que je la touche, pas que je la frappe. On se salua à nouveau. Le juge nous fit signe de reprendre le combat. Et là, vous me croirez si vous voulez, mais cette furie, furieuse d'avoir pris un coup, se jeta à nouveau sur moi comme une pauvre désespérée. Le réflexe a été le plus fort, je n'ai pas réfléchi et je l'ai cognée de toutes mes forces. Son nez enflait à vue d'œil. Le juge m'adressa un second avertissement et le point alla directement à la pauvre fille en face de moi avec son gros pif. Je la voyais grogner, pester contre moi. Elle était verte de rage, vexée de s'être laissée frapper de la sorte. Elle, qui avait la réputation de faire sortir ses adversaires sur un brancard, n'avait pas été en mesure de m'asséner un seul coup. Sa colère était décuplée par les railleries des personnes de son club :

« Ben alors, t'es pas en forme ?

— Ça ne te ressemble pas de te laisser battre comme ça, lui lança son prof. Allez bouge-toi, montre-lui ce que tu as dans le ventre. »

Mon adversaire bavait. On aurait dit un pitbull qui avait chopé la rage. Ses yeux étaient rougis par les larmes qui coulent toutes seules quand on prend un mauvais coup sur le nez. Elle sautillait sur place, prête à m'égorger. Elle tapait ses gants l'un contre l'autre, mastiquait son protège-dents nerveusement. Je savais à travers son regard qu'elle n'aurait aucune pitié lors du dernier assaut. Mais j'étais sereine, prête à en découdre à nouveau, et surtout rassurée de voir que j'avais en face de moi une bête sans cerveau.

Le juge nous rappela une dernière fois et me signifia à nouveau mes deux avertissements. Le combat reprit. Doucement cette fois. Mon adversaire commença à tourner autour de moi. Quelques coups de pied circulaires furent échangés, pas trop appuyés. Elle planquait son nez de clown derrière ses gants, hésitait un peu plus à avancer sur moi. Mais « chassez le naturel, il revient au galop ». Il ne restait que quelques secondes, quand elle se décida à m'attaquer franchement. Elle mettait toute sa hargne dans ses coups. *Tsuki, mawashi géri, yoko géri, tsuki*. Elle essayait de frapper, frapper et encore frapper. Sans technique, sans pratiquement regarder ce qu'elle faisait. Je parais, esquivais. Et, d'un seul coup, elle baissa sa garde. Cet instant fut mémorable. Mon poing passa entre ses deux mains et vint s'écraser à nouveau sur son museau déjà meurtri. Le juge cria de s'arrêter, mais il était trop tard. Du sang commença à couler sur son visage. Elle avait les yeux exorbités et le nez détruit. Le Samu fit son entrée sur le tatami, arrêtant par là même le combat. Pendant que mon adversaire se faisait soigner, le juge me signifia un troisième avertissement et, partant, ma disqualification.

En sortant de l'espace de combat, j'étais évidemment déçue de la décision des juges. Il aurait juste fallu que je touche… Et pas que je frappe. J'avais été trop brute pour une compétition de karaté, trop boxeuse. Il fallait encore que j'apprenne à me dominer. Mais, au-delà de cette déception, j'éprouvais une immense satisfaction, celle d'avoir donné une certaine leçon de modestie.

L'avis du Dr Dukan

Le très long chapitre consacré à l'activité physique est une très belle histoire que j'ai lue avec beaucoup de plaisir, comme une nouvelle d'aventure. Mais elle ne concerne que Chris et ma position sur l'activité physique destinée à un très large public ne peut en aucun cas s'apparenter à cette édifiante métamorphose sportive. Une personne sur mille peut entrer dans un tel cadre et le prôner en plan ou en méthode serait de nature à en exclure la quasi-totalité des intéressées.
Ma position sur l'activité physique a subi une mutation profonde en 2008. Jusque-là, je faisais ce que faisaient tous les nutritionnistes qui suivaient une patiente cherchant à maigrir, je proposais ma méthode qui très habituellement me permettait de parvenir sans difficultés au juste poids et de prescrire une stabilisation qui incluait l'abandon contractuel des ascenseurs. Et, bien évidemment, je conseillais toujours et systématiquement de pratiquer de l'activité physique. Mais il s'agissait de conseil et, habituellement, le conseil était peu suivi, si ce n'est par des femmes inscrites dans des clubs ou des cours de gymnastique. Ces séances étant pratiquées avec une régularité très incertaine liée au temps disponible, à la fatigue, à l'humeur, à la fatigue de la vie quotidienne.
En 2008, lors de l'introduction de ma méthode sur le site de coaching www.régimedukan.com, j'ai compris que ce simple conseil de bon sens de la pratique d'une activité physique ne servait à rien et je me suis mis à la PRESCRIRE à la manière et avec la solennité et l'autorité d'un médicament ; tout a brusquement changé, la consigne était suivie !

D'autre part, j'ai aussi compris que l'on ne pratique pas toutes les activités physiques avec la même facilité et que la facilité extrême s'incarnait dans la marche, oui, dans la MARCHE !
L'homme est le seul marcheur de la Création. Marcher a été le premier acte humain. Être debout a per-

mis l'humanisation en libérant les mains et en laissant celles-ci interagir avec le cerveau et progressivement le développer avec d'autant plus de facilité que la position debout a réduit le rôle des muscles du cou dont la traction empêchait le développement du cerveau.
La marche est donc la plus naturelle des activités de l'homme et, parvenu aujourd'hui aux confins de sa dénaturation et à l'extrémité de sa vie culturelle et artificielle qui le fait grossir, le retour à la marche est une obligation de survie pour conserver l'existence d'un corps qui est à lui seul la moitié de l'humain.
D'autre part, je considère que, outre son extrême naturalité, la marche est la plus simple des activités physiques, celle que l'on peut pratiquer n'importe où, à n'importe quelle heure du jour ou de la nuit, sans tenue particulière, sans se fatiguer, et la seule qui puisse être prescrite sans difficulté à un obèse, aussi obèse soit-il.

Aussi, sans écarter l'activité physique pratiquée par goût ou plaisir par le régimeur, je prescris la marche de la manière suivante : 20 minutes minimum pendant la phase d'attaque, pas plus.
30 minutes pendant la phase de croisière. Et, en cas de stagnation du poids et palier difficile à franchir, d'augmenter la dose jusqu'à 60 minutes par jour pendant quatre jours pour casser un tel palier susceptible d'entraîner du découragement.
25 minutes en phase de consolidation.
20 minutes en phase de stabilisation définitive.
À partir de l'entrée en phase de cette ultime phase, je demande à associer cette marche avec l'abandon pur et simple des ascenseurs.

Chapitre 14

« L'ORIGINAL »

Du rêve...

J'ai toujours rêvé d'ouvrir mon restaurant. Ce serait un endroit spacieux et magnifique. Il aurait un peu la forme ovale d'un ballon de rugby ou d'une soucoupe volante, mais serait constitué uniquement de bois et de verre. L'enseigne apparaîtrait en lettres de lumière orange et surplomberait l'entrée de portes vitrées. Tels les anneaux de Saturne, des néons aux mêmes couleurs entoureraient l'établissement. Les clients seraient guidés par un immense projecteur, digne des plus grandes boîtes de nuit parisiennes.

Toute la décoration intérieure serait entièrement déclinée suivant les créations de Ron Arad. Ce designer israélien utilise des technologies et des matériaux avec des modalités et des formes tout à fait nouvelles qui me fascinent. Manipulation, transformation et expérimentation sont les maîtres-mots de l'esprit qu'il véhicule. Son design se caractérise par une simplicité de formes et un goût pour les courbes qui le place dans la lignée des designers sculpteurs. Mon restaurant aurait l'ambiance futuriste de l'hôtel « Il DuoMo » de Rimini (photo page suivante).

Le nom de mon restaurant : « L'Original »

Originale l'ambiance qui y régnerait. Les clients seraient complètement désorientés par le cadre *fashion* et *high tech* des lieux. Ils plongeraient le temps d'un repas dans un univers inconnu, lumineux et fascinant.

Vous imaginez-vous prendre le café dans un salon ovale, fermé, bleu clair, entouré par des colonnes de trois écrans plasma superposés, assis sur une banquette bleu ciel circulaire ? Ne vous imagineriez-vous pas être dans un sous-marin, au plus profond des océans ? Aller à « l'Original », ce ne serait pas seulement se rendre au restaurant, ce serait voyager, s'évader, se couper du monde le temps d'un repas.

Original dans son concept, mon restaurant proposerait à sa clientèle uniquement des menus dédiés à la minceur. Toute une gamme de plats « traditionnels » adaptés des principes du Dr Dukan. « L'Original » proposerait une cuisine créative, colorée, alliant les saveurs et les senteurs, mais surtout ciblée sur les aliments riches en protéines et en légumes. Le plaisir d'une gastronomie traditionnelle viendrait s'allier sans difficultés aux impératifs de santé publique. « L'Original » ferait découvrir à une large population qu'un repas diététique ou hyper protéiné peut être en même temps un repas gastronomique. À l'inverse, « L'Original » prouverait à tous les adeptes de la *junk food* qu'un sandwich peut être un plat recherché et diététique. Les mets proposés à « L'Original » attireraient toutes les personnes soucieuses de leur ligne, mais aussi celles curieuses de découvrir une nouvelle cuisine.

Mon restaurant tirerait aussi son originalité de la variété des plats proposés. Chaque semaine, les clients pourraient découvrir une nouvelle carte, de nouvelles créations du chef. Chaque plat serait éphémère et diététique. Mon restaurant ne pourrait être qualifié de « traditionnel » de « pizzeria » ou d'« oriental », mais juste d'« Original. » Il toucherait à toutes les spécialités alternativement, en proposant par exemple pendant un temps des spécialités asiatiques et des plats provençaux tous diététiques ou Dukan puis, dans un autre temps, le hamburger et les pizzas maison, diététiques ou Dukan évidemment. Pour chaque plat, apparaîtraient les ingrédients évidemment, mais également la teneur en calories.

Voici, dans les pages suivantes, ce que pourrait être le menu d'une semaine à « l'Original »...

« L'Original » La carte

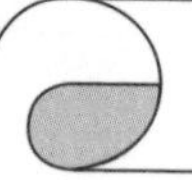

Cette semaine à « L'Original », notre chef vous propose

Apéritifs :

Les verres gourmands provençaux

Ou

Les toasts aux œufs de poisson sur lit de fromage aux herbes

Kcal :
Tomates, FB O %, épices, aromates

Entrées :

La julienne de légumes au curry doux

Ou

La salade américaine : (Kcal : 160. Anchois, petits oignons, ananas, pomme, laitue, radis, sauce FB O % au citron)

Kcal :
Émincé de carottes céleri, courgettes, FB O %, Épices

Plats :

BœufTerikayi Dukan

Ou

Le coq au riesling maison : (Kcal : petit coq, riesling, oignons, champignons, fond de volaille dégraissé, Maïzena)

Kcal :
Bœuf, oignons, ail, échalotes, ciboulette, sauce soja et mirin

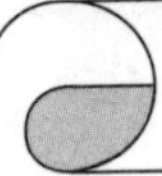

Desserts :

Lassi saveur chocolat blanc ou fruits rouges

Kcal :
FB 0 %, lait écrémé, édulcorant, arôme chocolat blanc ou fruits rouge.

Ou

Gaufres maison

Kcal :
Son de blé, son d'avoine, édulcorant, arôme vanille

Boissons :

Venez découvrir les eaux du monde entier dans notre « bar à eaux ».

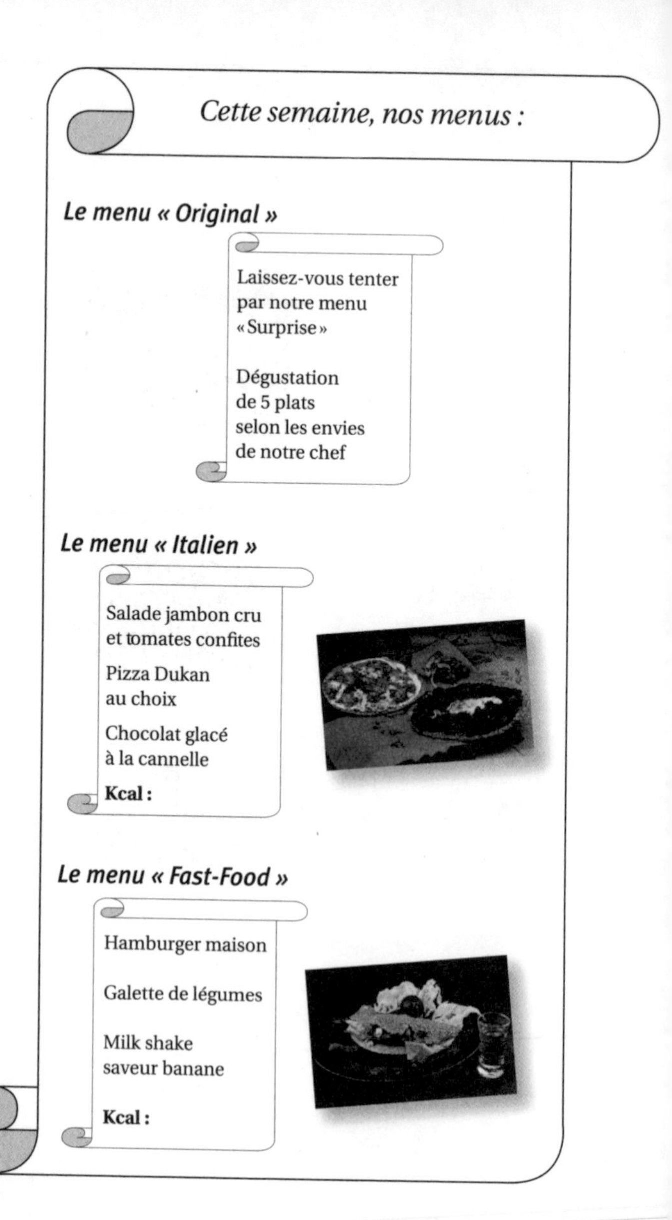

Cette semaine, nos menus :

Le menu « Original »

Laissez-vous tenter par notre menu « Surprise »

Dégustation de 5 plats selon les envies de notre chef

Le menu « Italien »

Salade jambon cru et tomates confites

Pizza Dukan au choix

Chocolat glacé à la cannelle

Kcal :

Le menu « Fast-Food »

Hamburger maison

Galette de légumes

Milk shake saveur banane

Kcal :

Pour les enfants :
Menu classique ou découverte

Soit à table avec tes parents, le menu classique

Hot Dog et sa purée de carottes

Kcal :
Son de blé et son d'avoine, saucisse de poulet, tomates, oignons, moutarde, cornichons

Ou

Wraps de jambon ou de saumon :
(Kcal : son de blé et son d'avoine, FB O %, jambon cru ou saumon et herbes de Provence)

Desserts :

Crêpe au chocolat

Kcal :
Son de blé et d'avoine, cacao, sucre, arôme noisette
Crêpe non servie après un wraps

Ou

Assortiment de fruits (morceaux de pomme, poire, banane)

Soit viens jouer avec tes copains et nos animateurs, avec le menu découverte.

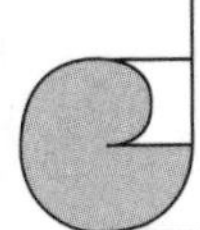

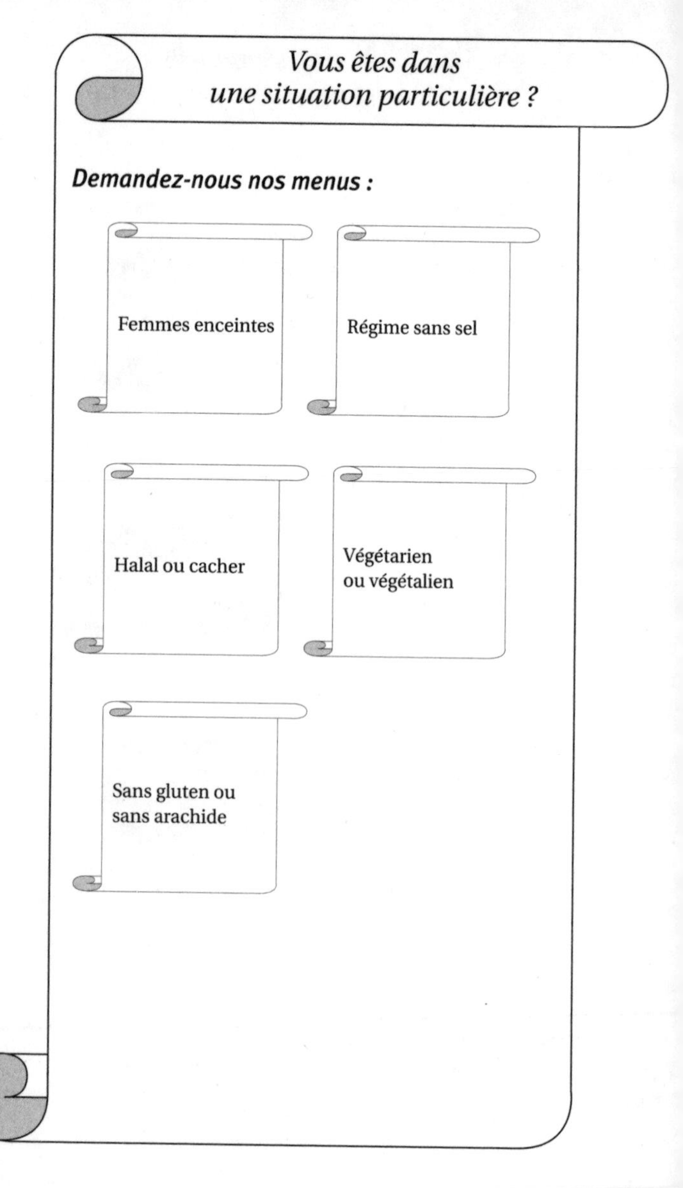
Vous êtes dans
une situation particulière ?
Demandez-nous nos menus :
Femmes enceintes
Régime sans sel
Halal ou cacher
Végétarien
ou végétalien
Sans gluten ou
sans arachide

Le restaurant communautaire par le Dr Pierre Dukan

Quand j'ai lu le livre de Chris Girard, j'ai retrouvé une vieille idée que j'avais depuis longtemps en tête, celle de créer un service de restauration permettant aux personnes suivant ma méthode de pouvoir se nourrir « à l'extérieur ». À l'heure où plus d'une personne sur deux se nourrit en dehors de chez elle, le piège de l'alimentation rapide recourant au gras, au salé et au sucré pour séduire les consommateurs, j'ai toujours eu en tête de fonder un partenariat avec une chaîne de restauration privée ou avec une entreprise de restauration collective ou avec un grand traiteur qui respecte l'axe théorique de ma méthode et ses deux phases amaigrissantes.

En fait, cette idée avait déjà pris corps une fois. Cela se passait dans les années 2005. Ma secrétaire me passe un appel téléphonique d'un certain Roland Chotard : « J'ai eu l'occasion d'acheter votre ouvrage. Je ne sais pas maigrir dans une gare et j'ai suivi la feuille de route préconisée et j'ai perdu en quelques mois 30 kg. Étant restaurateur, bon vivant et aimant le bon vin, j'ai grossi tout au long de ma carrière et, au bord de la retraite, j'ai voulu faire le ménage. Ce qui m'a séduit dans votre méthode c'est le fait de pouvoir manger à volonté. Sans cela, j'aurais fait ce que j'avais maintes fois fait, maigrir un peu et m'arrêter et tout reprendre avec prime.

Ce qui m'a permis d'aller au bout des 30 kg, ce sont les recettes. Oui, un peu celles que vous proposiez dans votre livre mais, pour moi, il s'agit de recettes de ménagères inventives. Je m'en suis inspiré et je leur ai ajouté mon savoir-faire pour créer des plats qui satisfont à la fois mon besoin de plaisir et de saveur autant que mon besoin de quantités. J'ai pu ainsi réaliser ce que je n'avais jamais pu obtenir, perdre 30 kg seul !

Aujourd'hui, pour vous remercier, je vous envoie ces recettes, faites-en profiter vos patientes. »

Et j'ai ainsi reçu une enveloppe très épaisse de recettes que j'ai laissées sur mon bureau jusqu'au jour où mon fils Sacha les a découvertes, les a essayées et a pris contact avec leur créateur, ce qui les a conduits à s'associer, à créer un petit laboratoire et à produire des plats artisanaux, des plats ne contenant aucune matière grasse ajoutée, aucun féculent, aucune farine, aucun sucre et bien évidemment aucun conservateur, de l'artisanat pur et dur et d'une qualité extrême.
Ces plats ainsi que des entrées et des desserts, ils les vendirent dans trois points de vente dans Paris portant le nom de Midi Minceur. Cela eut beaucoup de succès mais la fabrication artisanale coûtait beaucoup trop cher pour concurrencer les industriels et, malgré une vraie demande, l'expérience s'arrêta, faute de moyens, mon fils était jeune et inexpérimenté et les obligations administratives et sanitaires trop lourdes pour ses frêles épaules.
Quatre ans ont passé ; le nombre de personnes ayant adopté ma méthode et en ayant tiré bénéfice a continué de croître et, aujourd'hui, le rêve de Chris peut devenir réalité.

Avec Chris, nous avions pensé à un restaurant communautaire, un lieu dans lequel il serait possible de trouver des solutions à un grand nombre de problèmes du quotidien pour celle ou celui qui est au régime, quelle que soit sa phase, tant en attaque, qu'en croisière, mais aussi en consolidation et en stabilisation définitive.
Un service de restauration. S'asseoir et consommer une entrée, un plat, un dessert totalement en ligne avec les 100 aliments, tant protéines que légumes, des portions copieuses et savoureuses et un choix suffisant pour rester dans le cadre du régime à l'abri de la faim et de la frustration.
Un service de plats cuisinés à emporter pour celles et ceux qui préfèrent réchauffer et consommer ces plats chez eux ou sur leur lieu de travail.
Un service d'épicerie pour pouvoir acheter tous les ingrédients de facilitation du régime et de la préparation des plats, des épices, des condiments, des thés,

des arômes, l'agar agar, le son d'avoine, les sauces sans matières grasses, les gélatines marines, les ustensiles de cuisine particuliers, les plaques de cuisson antiadhésives, les moules flexibles, les sels de régime, le cacao dégraissé, etc.
Une librairie. On y trouverait mes livres mais aussi tous types de livres sur la diététique, l'amaigrissement, la cuisine, le bien-être, la santé, la psychologie, le bonheur. Un large choix ne comportant qu'une condition d'intégration, la qualité et l'intérêt potentiel pour quelqu'un qui a un problème avec son poids et les différentes raisons qui l'ont produit.
Un *corner* de compléments alimentaires, les meilleurs du marché choisis parmi le nombre incroyable d'existants dont seul un petit nombre a un réel intérêt, ceux aujourd'hui les plus vendus étant ceux qui disposent de la meilleure communication et publicité et les meilleurs réseaux de distribution.
Des cours de cuisine sous l'égide de Roland Chotard qui est devenu un expert de saveurs cuisinées sans matière grasse ni féculents ni farineux.
Des conférences sous ma direction, des experts de toutes les spécialités médicales concernées par le surpoids, la nutrition, les problèmes hormonaux, des spécialistes de la ménopause, du diabète, de l'hypertension, de la grossesse, de la dépression, de la médecine sportive, des rhumatologues, des spécialistes de la thyroïde, de la rétention d'eau, de la circulation, de l'apnée du sommeil, de la chirurgie plastique, de la dermatologie esthétique, du sommeil. Trois conférences par semaine enregistrées en vidéo téléchargeables avec des grands spécialistes qui répondront en direct aux questions spécialisées.
Enfin, un lieu de rencontre permettant à des membres de se rencontrer, de se connaître, d'échanger des outils de motivation, des recettes, des randonnées, créer du lien.

Nous avions imaginé un tel concept appartenant en propre à ceux qui en auraient été les actionnaires fondateurs, chacun investissant une action mais il s'est

avéré que la formule était trop complexe. Aujourd'hui, ses membres seront toujours des fondateurs et leur première cotisation symbolique leur vaudra une carte de membre à vie leur permettant de bénéficier de la priorité de présence et de réduction d'achat de tous les services proposés.
D'après les devis, la souscription de cotisation de fondateur serait de 50 euros. Elle leur permettrait de bénéficier, outre le fait d'être membre à vie, d'une réduction notable sur la restauration avec un pic de réduction de 50 % une fois par mois, sur les plats à emporter, sur l'épicerie, sur les livres, sur les compléments alimentaires, sur les cours de cuisine et gratuité pour les conférences.
Le coût de la cotisation de fondateur doit être amorti dès le premier mois pour le membre qui utilisera un nombre modéré de services. Et la cotisation devrait être unique la première année.
Cela n'est plus un simple rêve : des architectes, des cuisiniers, des éditeurs, des laboratoires, des experts et des médecins sont à l'ouvrage. Si vous avez envie de compter parmi les membres souscripteurs, faites-le savoir en vous inscrivant sur le blog et en y laissant votre adresse mail.

Chapitre 15

EN ROUTE POUR L'AVENIR

Je m'arrête devant le tourniquet de la piscine. Je glisse mon bracelet dans l'appareil et pousse la porte tournante.

Ce midi-là, je porte un jean bleu qui me colle aux jambes, et un joli petit pull blanc qui laisse apparaître légèrement ma plaque abdominale. Je porte en bandoulière mon petit sac rouge, un peu mouillé par les éclaboussures de la douche.

Mes cheveux encore humides me tombent sur la nuque, provoquant à chaque mouvement un petit sursaut.

Je sors de mon sac mon baladeur MP3 et le glisse à mes oreilles. Et là, devant la grande porte vitrée de la piscine, sur la grande place ronde de cette petite ville luxembourgeoise, je suis comme stoppée par ces quelques paroles :

« Je viens du Sud
Et par tous les chemins,
J'y reviens...

J'ai quelque part dans le cœur
De la mélancolie,
L'envie de remettre à l'heure
Les horloges de ma vie... »

J'ai réussi à remettre à l'heure les horloges de ma vie. Je contemple les hauts immeubles aux couleurs criardes qui entourent cette « place de la Libération ». Quelques rayons de soleil illuminent certaines façades. Un vent léger souffle, balayant les feuilles des arbres qui sont entourés par des carrés de béton.

Oui j'ai réussi ! Je peux continuer maintenant ma vie, sereinement, en gardant toujours cette ligne de conduite que je me suis fixée.

Autour de moi, les gens se pressent pour rejoindre leurs collègues dans les restaurants les plus proches. Ils jettent leurs clopes et entrent dans ces établissements pour engouffrer la saucisse frites qui les attend.

J'avance doucement vers ma voiture, bercée par la chanson de Michel Sardou. J'ai un sentiment immense et profond de joie, de victoire et de fierté.

J'ai la vie devant moi et des projets plein la tête. Je suis heureuse et équilibrée. Je ne suis plus l'obèse, mais je donne l'image d'une femme active et sportive, mère et épouse, jeune et dynamique. J'ai gagné mon pari.

Table

Composé par Nord Compo Multimédia
7, rue de Fives, 59650 Villeneuve-d'Ascq

Achevé d'imprimer en juillet 2010, en France
par MAURY-IMPRIMEUR - 45330 Malesherbes
N° d'imprimeur : 156811
Dépôt légal : 21 juin 2010